日本の宿題——令和時代に解決すべき17のテーマ

はじめに

「令和」の時代を迎え、日本を取り巻く環境はますます厳しさを増し、また不透明さが増大している。世界では従来になかったようなポピュリズムが蔓延し、自由な世界秩序（自由貿易、多国間主義など）をリードしてきたアメリカは、ルールメーカーとしての役割を放棄するようになった。また、（AIやビッグデータに象徴される）第4次産業革命の中で中国が台頭し、世界秩序の混乱に拍車をかけている。さらに地政学的な観点でも、中東、朝鮮半島、そして欧州の混乱など、問題は山積だ。そうした中で、いまコロナ問題という未曽有の難問を迎えている。

日本国内では、安倍政権になって以降、コロナ問題が発生するまでは、それなりの経済回復基調が見られるようになった。民主党政権の末期に8000円台だった株価は、2020年初めに2万4000円近傍、約2・5倍となった。かつては0・5まで低下していた有効求人倍率も1・6となり、失業率は2％台半ばと歴史的な低水準だ。長らく続いたデフレの完全克服はまだ道半ばだが、少なくとも物価（消費者物価）上昇率はマイナスではなくなった。

　このように安倍内閣発足以降、コロナ問題が生じるまでについては、当面の日本を良くするための政策はそれなりに議論されてきた。しかしながら、将来の日本を良くするための政策を考えると、それらにはまだほとんど手がつけられていないことに気づく。世界はいま、想像を超えるような速さで変化しており、この先日本がどのようになるか、多くの人々が懸念している。
　私たちは、日本経済には解決をしなければならない『宿題』が多数存在していることを、明確に認識しなければならない。

　本書は、この先令和の時代にどのような政権が生まれ、誰が総理大臣になっても、避けて通れない重要な政策問題を議論するために書かれた。日本がこれらの問題を軽視し、必要な改革を避けて通ろうとするなら、日本の将来は極めて厳しいものになるだろう。逆に、日本の潜在力を信じて、こうした課題に果敢に挑戦すれば、私たちの将来は決して暗いものではない。程度の差はあれ、世界の国々も同様の宿題を抱えている。日本は世界に対し、重要なベストプラクティスを示すことができるだろう。

平成の時代には冒頭でバブル経済が崩壊し、総じて言えば経済活動は停滞色が強かった。しかしそうした中で筆者の一人（竹中平蔵）は、「平成の教訓―改革と愚策の30年」（ＰＨＰ新書、２０１９）で、改革が進みやすい傾向が生まれた時期や分野があったこと、改革と愚策が混在した時代であったこと、を主張してきた。また同じく筆者の一人（原英史）は「岩盤規制―誰が成長を阻むのか」（新潮新書、２０１９）で、経済社会を良くするための改革がいかに困難か、それらがどのように先送りされてきたか、を示してきた。以下では、そうした視点を踏まえて17の重要な問題を「解決すべき日本の宿題」と捉え、問題の背景にある構造と、具体的な対応策を論じている。

本書の執筆中、日本の真の宿題とも言うべき、極めて重要な問題が発生した。筆者の一人（原）が、毎日新聞の第一面で事実無根の批判（国家戦略特区に関するコンサルティングで金銭を受け取った）を受け、それを野党の議員がテレビ中継入りの国会において取り上げ、名指しで批判を行ったのだ。メディアがフェイク・ニュースを流し、野党が議員の免責特権を振りかざして人権侵害のようなことを平気で行い、それをまたメディアが取り上げて根拠無き問題を拡散する……。結果的に政策論議は停滞し、野党の質問のため役所が機能不全寸前の状態にさせられる……。これは新しいタイプの政策妨害であり、結果的に既得権益者を守る構図だ。

民主主義が正しく機能するには、正しい情報を受け取る国民（well informed public）の存在が前提となる。それがなければ、本書で述べるどの宿題も解決されないだろう。そのために、建設的な国会審議と、権力からも大衆からも独立したジャーナリズムが必要になる。しかしいまの日本では、このような民主主義の基本インフラが明らかな機能不全に陥っている。そこで本書の最終章に「政治・メディアの悪循環を糺《ただ》す」という章を追加し、今回の問題をケースとして取り上げた。具体的に、問題の一連の経緯と、それへの対応策を議論している。興味ある読者の方は、この第17章を先に読んで頂いてもよいと思う。

本書の出版に当たっては、東京書籍の内田宏壽様に大変お世話になった。また編集においては、堀岡治男様に大変ご苦労をおかけした。最終原稿の完成が大幅に遅れたことをお詫びするとともに、ご尽力に深く感謝申し上げる。

当面の日本経済はコロナ問題への対応で大揺れになるだろう。しかしその先に、日本が避けて通れない『宿題』が待っている。いや、コロナ問題に対応するためにも、本書で示した宿題への処方箋が急がれる（例えば、遠隔診療・遠隔教育を可能にする規制緩和など）。

本書で示した「日本の宿題」が、読者の方々に支持され、少しでも早く実行されることを祈念している。

竹中平蔵
原　英史

目次／日本の宿題

第1編

政治

日本の宿題1

真の「政官分離」を実現する―官僚主導のゆがみを是正せよ―

なぜ政官分離が必要か―優先される特定権益集団の利害―

日本を良くする大前提として、真の「政官分離」が必要だ。以下ではその理由を明らかにし、最後に三つの具体策を述べる。

当たり前のことだが、外交、経済、日々の生活など、国の政策が国民に与える影響はきわめて大きい。しかし、長い間、その政策の決定は特定の人たちによってゆがめられてきた。政策の決定は、業界団体・族議員・官僚機構の三者により、閉鎖的に行われ、その目的は特定権益集団の利益を最大化することであった。

1990年代から、この弊害を解消するために官僚機構改革など、様々な改革が進められた。いわゆる「内閣主導（官邸主導）」への転換だ。

しかし、規制改革一つをとっても、事前規制型から事後チェック型への変更は十分に進んでいない（22頁参照）。２０１２年末に成立した第2次安倍内閣になってから、しばしば岩盤規制という言葉が使われるようになった。規制に関して、20年も30年も同じ議論を続けており、既に岩盤のように固くなってしまい、どうにも解決の糸口が見えない状況を言い表している。「鉄のトライアングル」と呼ばれる業界団体・族議員・官僚機構の三者が、相変わらず、社会全体の利益よりも特定の利権を持っている人たちの利害を優先するような構造になっている。

突出した権限を持つ日本の官僚機構

「鉄のトライアングル」という言葉は、もともとアメリカで使われ始めた言葉だ。決して日本特有の問題ではなく、世界共通の現象と言える。何らかの制度がいったんつくられると、それによって既得権が生まれる。既得権を持つ業界団体は政治家に対してロビイング（ロビー活動）を行う。業界団体の意向を受けた政治家は、官僚機構とつながり、既得権を守るための努力をし、業界団体からの支援を獲得する。この構造が底辺にある限り、「鉄のトライアングル」はどこの国でも発生する現象であり、容易に崩壊することはない。この課題に対応するため、

1980年代以降、アメリカ、イギリス、ニュージーランドなどは、行政のあり方を根本から変える改革を推進してきた。しかし、日本は世界に遅れて対応することとなった。

なぜ、日本は後れを取ったのか。大きな要因は、日本の官僚機構が世界の中でも突出して強かったためである。明治以降、世界の列強に追いつくために日本の官僚機構は重要な役割を果たしてきた。東大法学部を頂点とするエリート集団を形成し、政治家の人材供給源としての役割も担った。戦後の一時期まで、日本の官僚機構は総理大臣を輩出する人材源でもあった。このような日本特有の事情が、世界には例のない強力な日本の官僚主導を築いたのだ。日本では、官僚機構が強すぎるため、時代に対応した政策転換が遅々として進まなかった。

「抵抗勢力」と闘う

強い官僚機構が存在するため、国民の視点に立った改革がなかなか進まない。この弊害を除去するために首相主導の、官邸主導の行政への転換が強く叫ばれるようになった。

１９９０年代後半、橋本龍太郎内閣は官邸主導の行政を目指し、本格的に行政改革に着手した。その後２００１年に、中央省庁等改革が行われ、内閣の機能が強化される。橋本行革は、中央省庁の数を減らしたことで有名になったが、真の成果は内閣府を設置し、首相主導の仕組みへ転換させたことだ。例えば経済財政諮問会議を創設している。経済財政諮問会議は、小泉内閣時代に有名になった機関だが、仕組み自体は橋本行革によって設けられた。橋本行革は、まさに首相主導への転換を図ろうとした行革であった。

橋本首相は仕組みだけをつくって退陣したが、この仕組みを最大限に活用したのが小泉純一郎内閣だ。小泉内閣時代には、郵政民営化、道路公団民営化、不良債権の処理など官邸主導の改革が次々と実行された。例えば、２００２年には「都市再生特別措置法」を制定し、都市開発の規制を緩和した。この法律により、様々な都市で大規模な再開発プロジェクトが可能となった。そして、そのほとんどの改革は、族議員と官僚機構との闘いの結果、勝ち得たものだった。

小泉首相は改革に反対する自民党の族議員や省庁を「抵抗勢力」と呼び、改革こそが正義であると国民に訴え、世論の支持を味方につける手法をとった。小泉改革の中で特に重要な役割を果たしたのが、経済財政諮問会議だ。小泉総理は、それまでの大蔵省（現・財務省）主計局を中心とする予算編成過程を官邸主導の予算編成にするために、経済財政諮問会議を活用した。同会議が経済財政に関する基本方針である「骨太の方針」を決定し、それに基づいて予算編成方針を決定する方向に導いた。民主党政権の一時期を除いて、この手法はその後も引き継がれ、財務官僚主導の予算編成はかなりの程度変質した。

強固な官僚機構に対抗して、小泉内閣は相当の改革を実現させたが、いまだ実現していない改革も多数ある。

例えば、混合診療の問題がある。混合診療とは、保険診療（公的保険適用）と、公的保険の適用がない自由診療とを併用した診療のことだ。原則禁止とされており、併用した場合は公的保険が全く適用されなくなり、患者は全額負担することになってしまう。このことを問題視した小泉内閣は、混合診療を大幅に拡大する政策を実行しようとしたが、厚生省、日本医師会などの強い反対により実質的に拡大は実現しなかった。平成18年、第1次安倍内閣のとき、いくらかの前進を見たが、結局それも骨抜きにされ、混合診療はいまだ実現できていない。

政策決定に強大な力を持つ官僚たち

改革を進める強い意志を持ち、強いリーダーシップを持つ小泉首相のような人物が頑張っても思い通りの改革はなかなか実現できなかった。岩盤規制にドリルで穴をあけると強調している長期政権の安倍内閣でも同様だ。なぜ、実現できないのか。陰で強大な官僚機構が目を光らせているからだ。半分政治家のような官僚の幹部たちが、すべての政策の根回しを行っている。

何らかの改革をしようとすると、多くの場合、制度を改正するための法律を制定するか既存の法律を改正しなければならない。現在の日本の仕組みでは、内閣が提出する法律案は、まず内閣法制局が審査を行い、その後閣議に出され、閣議決定後に国会に提出される。しかし、その前に与党としての審査プロセスがあり、自民党内の各部会（厚生労働部会、文部科学部会など）、決定機関の政務調査会、自民党総務会を経て、はじめて内閣提出の法律案となる。総務会の議決は党則では過半数で決すると定められているが、実際には慣例として全会一致の原則をとっている。一人でも反対すれば法案にならない。そこで通常は、省庁の課長以上の官僚が、法律案を円滑に通すために政治家への徹底した事前根回しを行う。

しかし、省庁や族議員にとって気の進まない政策の場合には別の現象が起こる。もともと改革には積極的でない官僚と、利権を失うかもしれない族議員たちは、法律案をつぶそうとするか、後退させようとする。強いリーダーシップを持つ総理大臣が頑張っても改革が容易に進まない原因がここにある。

「事前規制型」から「事後チェック型」への転換に抵抗する官僚・族議員

行政が法令に基づいて事前に様々な規制を設け、産業界を支配・指導していくスタイルは「事前規制型」と呼ばれる。典型的な事前規制型の行政では、何かをやろうとすると、その都度役所にお伺いを立てなければならない。その業界に新規参入するには免許が必要であり、参入した後も新サービスや新商品を売り出そうとすると行政の許認可が必要になる。多くの産業で、価格の決定、仕様の決定などについても、いちいち役所の指導や許認可が求められる。

この事前規制型のシステムは、新たなビジネスの創造や成長を阻害し、国民が多様なサービスなどを享受する機会を奪う。しかし、これを改めることは難題だ。官僚にとっては自らの権力の源泉を奪われることであり、族議員にとっては何の得にもならないからだ。事前規制があるから業界は省庁にお伺いを立て、その諾否を握っていることにより省庁は業界をコントロールできる。官僚や族議員たちが徹底して反対する改革は、事前規制型のシステムを事後チェック型へ転換する政策である。

規制改革に積極的な総理大臣が登場しても、官僚たちはどうせそのうち別の人物に変わるだろうと、ほとんど意に介さない。現在の安倍内閣はたまたま長期政権になっているが、これまでの通例から言えば総理大臣でせいぜい2年、大臣クラスにいたっては1年程度で入れ替わる。そのような人たちの意見を聞くよりも、自分たちのインナーサークルで、族議員たちと連携して、官僚機構の論理で政策をつくる方が既得権を失うことはない。彼らは根回しの主力部隊だから、彼らにとって気が進まない政策については、一応活動したふりをするが、根回しがうまくいかず合意ができませんでしたと平気で開き直るのである。誰が総理大臣になろうが、このようなことが、長きにわたって繰り返されてきた。

国家公務員制度の改革と新たな抵抗

官僚機構が強いと改革が進まない理由の一つとして、役所の組織・人事が縦割りになっていることがあげられる。多くのキャリア官僚は、日本を支える国家公務員であるという意識は低く、在籍している省庁に所属しているという意識の方が強い。例えば、官僚が退職後に自己紹介するとき、○○省出身ですとは言うが、日本政府の職員出身ですとはまず言わない。原因は、公務員試験受験後、各省庁を訪問し、省庁ごとに採用されるシステムにある。ある省庁に採用されると、途中出向することはあっても、長くその省庁に勤務し、辞めるときには省庁は天下り先まで用意してくれる。省庁間の横のつながりは薄く、日本の官僚機構は完全な縦割りの組織となっている。そうすると何が起こるか。彼らは自分の所属する省庁に忠誠を尽くし、所属する部門の利益のみを追求するようになる。自分たちの省庁の権益を守ることを第一とするのだ。このことが省庁「縦割り」行政の根源になってきた。

この課題を解決するため、橋本内閣時代に、国家公務員の縦割り人事を変える必要があるという議論が起こった。役人を役所ごとに採用するのではなく政府が一括採用する、あるいは少なくとも幹部については省庁関係なく政府が人事配置を行うなど、様々な議論がなされた。しかし、政府に人事権を奪われては、いままで内輪で恣意的に、自由に行ってきた人事ができなくなる。役人にとっては非常事態であるということで、経済財政諮問会議の設置に反対した以上の反発が官僚から起きた。その後、小泉内閣で公務員制度改革を進める動きがあったが、議論はむしろ「人事院から各省への分権化」の方向が打ち出され、人事院との攻防がメインとなってしまった。

２００６年９月に組閣された第１次安倍内閣になって、ようやく公務員制度改革が本格的に動き出した。２００７年に「公務員制度の総合的な改革に関する懇談会」が設置された。目的は「採用から退職までの公務員の人事制度全般の課題について総合的・整合的な検討を行う」とされている。メンバーには元東大総長の佐々木毅氏や作家の堺屋太一氏などが入っている。そして、翌２００８年、懇談会報告を受けて「国家公務員制度改革基本法案」が国会に提出され、同年６月に成立した。

改革基本法には、１年以内に人事の一元管理を担う「内閣人事局」を設置することが盛り込まれた。しかし、その後、民主党政権に替わったこともあり、人事局の設置は見送られ続けた。内閣人事局が設置されたのは、改革基本法制定から6年もたった2014年である。橋本行革で提案されてから17年の年月が経過していた。

内閣人事局ができてから省庁をまたがった幹部の異動などは増えてきたが、まだまだ機能を十分には発揮していない。「縦割り」も「官僚主導」も、少なくとも経済政策の現場を見ている限り、ほとんど変わっていない。それどころか、内閣人事局を廃止するか、機能を弱体化すべきだという議論が起きている。改革を阻止する新たな抵抗が生じているのだ。内閣が人事権を握っているため、官僚による総理官邸への忖度《そんたく》が生じている、というのだ。また、一部のメディアは、内閣人事局が官僚のやる気を殺いでいるなどと主張し、露骨に抵抗勢に加担しようとさえしている。確かに間違った忖度を行うような官僚が出てくることもあろう。そのような問題は内閣人事局が適正な評価に基づく人事を行って排除すればよい。もし、官邸への忖度があったとしても、業界団体や役所内の幹部（事務次官など）への忖度の方がはるかに国民への害が大きい。業界団体のトップや事務次官を国民が選ぶことはできないが、総理大臣は民主主義のプロセスで選ぶことができる。官僚主導ではなく、首相主導、内閣主導にするということは、国民全体の利益を代表する立場の総理大臣あるいは官邸が主導して、政策全体をコントロールするということだ。国民が国会議員を選び、その国会議員の中から総理大臣が選ばれる。日本の政治では総理大臣が間接的に国民全体の利益を代弁するという仕組みになっている。官邸への行き過ぎた忖度で政策がゆがむような問題があれば、国民は選挙を通して政権に審判を下せばよい。

政官分離を徹底せよ

首相主導への転換は一定程度の成果を見たが、まだまだ不十分である。にもかかわらず、首相官邸が強すぎるではないかという意見が出てきている。しかし、この意見はまったくの誤りで、相変わらず官僚主導の政策が圧倒的に多いのが実態だ。特に経済政策に関しては、官僚主導の色が濃くなっている。安倍首相は、2014年のダボス会議で、岩盤規制改革を2年以内に実行すると発言したが、いまだに規制改革は難航している。

橋本行革以来、様々な改革への取り組みが行われてきたが、なかなか成果があがらない現状をどうしたらよいのか。私たちは、政と官がそれぞれ果たすべき役割を再整理し、両者を分離する以外に方法はないと考える。政官分離を断行し、官僚たちが半政治家のような役割を果たすことをなくすのだ。

中央省庁では、課長以上になると、半分政治家のような仕事が主要な業務になってくる。中には政策に反対する議員の説得を行い、妥協案を提示し、大物政治家のような振る舞いをする官僚さえいる。そして、そういうことができる役人が優秀な役人として評価される。省庁幹部の本業とさえ言える。

本来、官僚の仕事とはプロフェッショナルな仕事である。様々なデータを分析して、それに基づいて政策を企画・立案するのが彼らの本業である。また、政府が決めた政治の方針に従って、具体的に執行していくのが彼らの仕事なのだ。いまの官僚組織はプロフェッショナルな仕事よりも、半分政治家のような活動を行っている。官僚たちは、データに基づいて分析し、分析に基づいて政策をつくるという姿勢を異常に軽視してきた。皆、政治家のようなことをやりたがる。

いま必要なことは、官僚の半政治家的な活動を禁止し、行政のプロフェッショナルに徹してもらうことだ。このような背景から、国家公務員制度改革基本法は制定された。しかし、十分機能していない点については、前述した通りである。

改革基本法に関する懇談会での議論の初期では、政官分離が課題として取り上げられていた。懇談会のメンバーであった故堺屋太一氏は、政官の接触禁止、政官分離を強く主張されていた。しかし、役人たちは猛烈に抵抗してきた。政治をからめて政策を決定していく力を失っては、彼らの存在基盤がなくなってしまう。日本を動かしているのは自分たちだという強烈なエリート意識を持っている役人たちにとっては許せない提案だ。いっぽう、政策決定を役所に丸投げしていた政治家たちも、根回しをしてくれていた役人たちがいなくなると、自分たちですべてやらなければならない。そのような負担には耐えられないと、政治家たちも反対した。

しかし、中川秀直《ひでなお》元衆議院議員のように、自民党の中にも政官分離を支持する政治家はいた。結局、政官接触禁止を何とか盛り込んで懇談会報告書は完成し、政官接触の制限を定めた内容を含む改革基本法案が国会に提出された。当初案では、「各府省に、国会議員への政策の説明その他の政務に関し、大臣を補佐する職（政務専門官）を置くとともに、政務専門官以外の職員が国会議員に接触することに関し、大臣の指示を必要とするなど、大臣による指揮監督をより効果的なものとするための規律を設けること」となっていた。

ところが、2008年当時、自民党は参議院では第2党でしかなく、ねじれ国会となっていたため、法律を通すには与野党の協議が必要だった。与野党で法案の協議をすること自体は評価できることで、特に公務員制度改革や首相主導システムへの転換などは与党も野党もなく議論すべき課題だ。ところが、与野党協議の結果、法案は国会で修正され、政務専門官の設置と政官接触の禁止は削除された。政官接触した場合は記録として残せばよい、という内容に変更された。結局、役所が強すぎて本質的な部分は解決できないままになってしまったのである。

政治に優れた人材を集めよ——土日・夜間議会

一部の恣意的なグループに左右されることなく正しい政策決定を実現していくためには、その前提条件として政治に優れた人材を集めることが重要だ。政官分離を実現しても、まともな政治家がいないのでは話にならない。いまの日本では、自分の人生を犠牲にして政治に捧げるような特殊なタイプの人しか政治の世界では生きていけない。政治に携われば高い能力を発揮できる人は、世の中にたくさんいる。しかし、ほとんどの場合、いったん政治の世界に入るとなかなか抜け出せなくなり、いつのまにか政治屋として居座るようになってしまう。数年間、政治家として活動して、再び民間に戻ることができる社会環境が用意されていないためだ。その解決策の一つとして「土日・夜間議会」*という提案がある。

PTAとかマンションの管理組合では、普通に仕事を持っているサラリーマンや自営業者などが参加しやすいように、参加者が集まりやすい時間帯に会議を開いている。政治の世界も、同じように、ふだんはほかの仕事をしている人たちが参入できるようにし、その人たちの経験・知識・能力を活用できないかとの提案だ。

欧米各国の地方議会では、普通の人が仕事を持ったまま議員になることは当たり前のことである。例えば、フランスの地方議会では、一般の人が自分の職業を持ちながら政治家として活動している。アメリカの場合は、地方議員の大半が非常勤で、週に1回程度会議に出席すればよい。議員報酬も無報酬か、あってもわずかな額である。議会も「土日・夜間開催」が普通だ。議員は特殊な仕事で、地

「土日・夜間議会」
　2005年、地方議会のあり方を変えるために、総理大臣の諮問機関である政府の地方制度調査会は、「休日、夜間等に議会を開催」、「勤労者が議員に立候補でき、また、議員として活動できるような環境の整備」を進めるべきとの答申を出したが、いまだに実現していない。

方議員であっても、議員になるために会社を退職し、すべてを投げ打って立候補する日本とは大きく状況が異なる。

こうした多様な人材の参入を可能にする仕組みは、国会でも応用できる可能性がある。よりよい人材を政治に集めるという観点で、まずは地方議会に「土日・夜間議会」を導入したうえで、国会レベルでも検討すべき課題である。

政策決定を歪ませる地方議員の存在

地方議員と国会議員との関係も、政策決定に影響を及ぼす。

かつて、筆者の友人の一人が高い志を持って国会議員を目指して当選した。しかし、彼は議員になった途端に、周囲のしがらみに囚われ、思うような活動ができなくなってしまった。理由は簡単である。国会議員選挙では、得票数を固めるうえで地方議員の協力が欠かせない。彼らは、立候補者を当選させるために、様々な方法を駆使して地元の団体や住人に対して選挙運動を展開する。地方議員の必死の活動により当選したのだから、国会議員となった者は、それがどんなに優れた政策であっても、彼らが不利になるような政策を提案するわけにはいかない。

明らかに反逆行為になってしまう。

いっぽう、地方議員の多くは、地元のしがらみにどっぷり浸かっている。政治家を職業とするプロであり、なによりもまず、職業としての議員の職を守らなければならない。その結果、自分を支持する地元の団体や一部の住人たちの要望に応えられるかどうかが死活問題であり、その実現を国会議員に迫ってくる。

普通のサラリーマンや主婦が議員となり、地方議会に参加するようになれば、その環境は大きく変わるはずである。地方議員の職を守るために国会議員が劣化させられるということはなくなる。正しい政策を国が実行するために、地方議会のあり方を変えることは実は大事な課題だ。

投票率をあげるために電子投票（インターネット投票）を実現せよ

１９７０年代に70％前後あった衆議院議員総選挙の投票率は、ここ数回60％を切り、２０１７（平成29）年の総選挙では53・68％まで落ち込むなど、低下傾向が著しい。参議院の場合も、50から60％の間で推移している。２０１９年7月の参議院議員選挙の投票率は48・８％と、５割を切る低さだった。５割を切ったのは、この選挙も含め、戦後で2回しかない。20代、30代の有権者の投票率が極端に低いことが原因である。

これに対して70歳以上の投票率は高い水準を示しており、政治家たちは、当選するために若年層よりも高齢者層に配慮した政策を優先する傾向にある。いわゆる「シルバー民主主義」と呼ばれる現象だ。本来は次の時代を担う若者たちを優先した政策決定を行ってもおかしくないはずだが、まったく逆の現象が起きている。政治に対する若者の意識が低いからだ、と切り捨ててしまえばそれまでだが、若者の政治参加のための制度的な取り組みも必要だ。そのため、投票しやすい環境を整えることが重要だと思う。

投票環境を変革する切り札の一つとして、インターネット投票システムがあげられる。誰もがスマートフォンを活用して、ネットショッピング、インターネット金融サービスなど様々なことができる時代になっている。しかし、いまだに窓口に行かないと用事が足せないこともよくある。その一つが投票である。決められた投票所に行かない限り投票はできない。敢えて行こうとしない若者は別として、退職した高齢者とは異なり、土日も働かなければならない若者も多い。彼らがスマホで投票できるようになれば、政治状況が大きく変わってくることも予想される。電子投票を早くから取り入れているバルト三国の一つエストニア*では、2005年の地方議会からインターネット投票を導入し、その後国政選挙でも活用されるようになった。2019年3月に行われた総選挙では、投票総数の44%、第1党となった野党の得票数の60%が、ネットによる投票であった。

日本では、2002年に電子投票法*（略称）が施行され、地方自治体が条例を制定すれば電子投票が可能になった。ただし、パソコンなどは使用せず、投票所に設置したタッチパネルやボタン式の機器を操作して投票する方法が提案されており、投票所に行って投票すること自体に変化はなかった。また、2003年に岐阜県可児《かに》市議選でトラブルが発生したことや、機器にかかる費用が高いことなどから、現在、積極的に導入している自治体は少ない。インターネット投票の導入がなかなか進まないのには、いくつかの理由がある。外部からの不正アクセスによる侵入が防げるかというセキュリティの問題、ネットを使用しにくい環境にいる人たちへの対策、「秘密投票」*の制度など、解決すべき課題は多い。

総務省は2017年末から投票環境に関する研究会を開催し、2018年8月

エストニア
2019年の人口は約132万人。

電子投票法
正式名称は「地方公共団体の議会の議員及び長の選挙に係る電磁的記録式投票機を用いて行う投票方法等の特例に関する法律」。

「秘密投票」の制度
公職選挙法第46条4項「投票用紙には、選挙人の氏名を記載してはならない」。

に報告書を公表した。報告書の中で、海外在住の人たちの投票（在外投票）の利便性を高める方法として、インターネット投票を検討すべきだとしている。さらに、幅広い関係者の議論や安全対策、費用面で克服すべき課題はあるものの、在外投票インターネットシステムは国内にも応用可能としている。

一方で、幅広い意味での電子投票に取り組んできたスイス、ドイツなどのヨーロッパ各国が、セキュリティやコストなどの面で実施に向けた展開が思うように進んでいないのも事実である。しかし、インターネットを活用した投票により、国民の多くの声を選挙に反映させることは、間違いなく日本の宿題の一つである。

提言

一、「政官分離」を断行し、政治家と官僚それぞれが本来の役割を果たすようにする。そのため両者の接触を原則禁止する。

二、「土日・夜間議会」を採用するなど、政治への参入障壁を引き下げ、優れた人材を政治に集める。

三、電子投票を実施し、投票率（特に若年層）を高める。

日本の宿題2

地方衰退を解決する

地方の衰退と創生

　都市と地方の格差拡大、または地方の衰退という問題は、政策上の大きな課題となっている。安倍政権でも、地方創生というスローガンが掲げられ、それを担当する特命大臣も設置された。

　しかし、この問題の解決は容易ではない。都市人口が高まり、地方が相対的に衰退するという現象は、残念ながら世界的に見られる傾向だ。今の時代を引っ張る成長産業が知識集約型産業であり、もっぱら都市立地が有利であること。時代をリードするイノベーションというのは、企業や人材の「結合」（結びつき）から生まれるものであり、結果的に多様な結びつきが可能な都市（とりわけ大都市）でイノベーションが起こること。こうした状況下で、都市と地方の格差が拡大することは、容易に避けられない状況となっているのだ。

日本では、しばしば、東京一極集中の是正が叫ばれ、ともすれば都市のリソース（ヒトやカネ）を地方に移転させることを良しとする傾向がある。また、日本の一部野党やジャーナリズムは、「地方切り捨て」という表現を好み、同様に都市から地方への資源の移転を重視する。しかし、都市は都市で世界的な競争の真っ只中にあり、都市を弱体化させて地方に資源を移転するという発想は誤っている。ましてや地方経済の弱体化は、地方における産業・企業の弱体化であり、これに対し、政府が財政政策などを通して解決できる問題は限られていることを認識しなければならない。

日本の宿題として、地方に関する政策としてまず考えるべきは、地方財政の仕組みを健全なものにし、地方自らの創意工夫を活かして経済を活性化させる仕組みを構築することである。これがまさに、地方分権に他ならない。そこで以下では、地方財政制度の構造的な改革の方向を議論したい。

ちなみに安倍内閣では、地方創生のための資金として年間約1000億円の財源が用意されたが、そもそも国から地方に対して行われる財政支出は、年間約

16兆円、予算全体の約16％に達する。このような地方予算本体16兆円の改革を避けて、0・1兆円の規模で本格的な地方創生を期待するのは困難である。

地方分権という考え方

都市と地方とでは、どうしても財政力に差が出てくる。そこで日本の制度では、その不均衡を調整し、地方行政が一定の水準を維持できるようにするため地方交付税制度が設けられている。平成31年度予算では、先に述べたように地方交付税は国の予算の約16％を占める。社会保障が約34％で国の負担としては一番大きい。しかし、国債費を除けば2番目に大きいのが地方交付税で、16兆円の水準に達している。

なぜ、16兆円もの巨額な支出になっているのか。その原因は日本の財政構造にある。私たち国民は、平均すると、納める税金の約3分の2は国に、残り3分の1は地方自治体に納めている。ところが、実際の金の使われ方を見ると、税金の約3分の2を地方自治体が使い、3分の1を国が使っている。お金の出入りで3分の1が合わなくなる。つまり、その3分の1が国から地方に「移転」（トラン

図１：中央と地方の財政収入の内訳

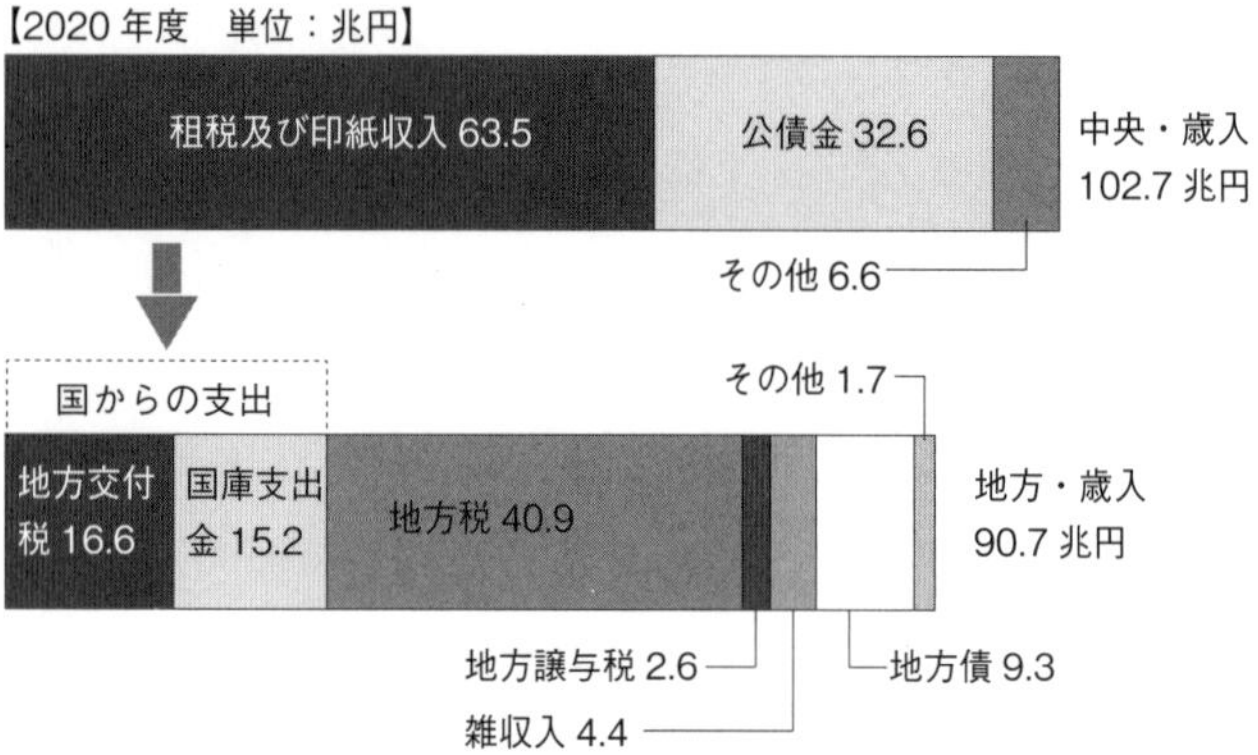

［出典：財務省資料、総務省「令和２年度地方財政計画」］

スファー）される仕組みだ。具体的には、地方交付税交付金であったり、負担金や補助金などの使途が特定されている国庫支出金である。

地方財政の制度はかなり複雑である。まず総務省が、地方でどの程度お金が必要かを試算する。これを「地方財政計画」という。試算の結果、不足分を地方交付税などで国が補てんする。もし、この地方交付税を切り下げると、「地方切り捨て」だと多くのメディアは問題視する。しかし、地方の税収が伸びれば、交付税は当然減額されることになる。もしも、地方財政計画で地方の資金需要を大幅に切り下げたのなら、「地方切り捨て」という言い方も理解できないわけではない。しかし、財政資金需要額から税収を差し引いた交付税の減額を地方切り捨てという指摘は間違いだ。

この例からもわかるように、地方交付税や国庫支出金に関して、国と地方自治体の間では様々な問題が起きてきた。地方は、国がうるさいことを言ってきて自分たちには自由がないと主張する。国は、地方は何かあるとすぐに国に頼ってきて無責任だと反論する。国と地方は互いに不満を述べ合ってきたのが現実である。これに対して、互いに不満をぶつけ合うのではなく、国でできる仕事と地方でできる仕事を明確にしようという地方分権という考え方が、2000年前後から盛り上がってくるようになった。衰退に向かっている地方の経済を再生させるためにも、地方自治体はもっと責任と自由を持って行政を進めようという考え方である。

決定打が出ない地方分権

地方分権改革は、1993年に「地方分権の推進に関する決議」が衆参両院で採択され、2年後に「地方分権推進法」が成立、公布されると、しだいに盛り上がりを見せるようになった。小泉内閣（2001年4月成立）は、地方でできることは地方へと、積極的に地方分権を推進した。2006年12月には第1次安倍内閣のもとで「地方分権改革推進法」が成立する。

ところが、民主党政権になると地方分権という言葉そのものが消えてしまう。そして、再チャレンジを掲げた第2次安倍内閣以降も、地方分権についてはほとんど議論されていない。

地方分権は世界的な潮流で、簡単に言えば、もっと地方に頑張って元気になってもらいたいということである。そのために、国が持っている地方に対する権限を委譲し、地方が独自で行政サービスをできるようにする。しかし、理念と現実はかけ離れ、なかなか決定打が出ない状況で今日に至っている。

そうした中、地方経済がますます停滞色を強め、「地方に頑張ってもらおう」という気運が低下してきた。先にも述べたように地方経済低迷の背景は、私たちの産業が知識集約型の産業に転換していることである。広大な敷地にゆったりとした工場を設け、今日も昨日と同じように正確にモノをつくる。そういう経済活動をイメージするならば、実は地方のメリットは非常に大きい。総じて人件費が安く、工場建設費も安い。そして、日本の場合は地方に非常に勤勉な労働者がいる。

しかし、知識集約型の産業が主流になってくると、事情が一変する。

例えばコンサルタントの仕事について見てみよう。コンサルタントは象徴的に言えば、今日も昨日と同じ仕事をするということはない。業務のコンサルを依頼してくる会社が日々変わるからである。昨日のコンサルティングのチーム構成と今日のコンサルティングのチーム構成が同じということはあり得ないのだ。会計の専門家、経営の専門家、エコノミスト、技術の専門家と４人のコンサルタントがいるとすると、４人の組み合わせは、昨日の受注と今日の受注では異なることになる。そうなると、多様な組み合わせができる都市のほうが、ビジネスのうえで圧倒的に有利になる。豊富な資金と多様な企業があり、多様な人間が集まっている都市に、圧倒的な立地の優位性ができるのである。

もっともわかりやすい例がアメリカだ。アメリカ中西部は自動車産業など製造業の中心地として栄華を誇った地域である。しかし、１９７０年代に入ると国際競争に対応するため製造業の多くが、工場をメキシコなどに移転させ始めた。その結果、それまでこつこつと働いていた労働者は職を失った。自動車工業都市として名高かったデトロイト市は、都市再生がうまくいかず、２０１３年にはアメリカ合衆国連邦破産法第九条の適用を申請し、財政破綻した。

今、この現象が世界中で起きており、日本だけでなく多くの国々で地方は衰退に向かっている。

三位一体の改革は重要な一歩

地方分権の基本は、国がやるべき仕事は国が責任と権限を持って行い、地方が担当した方がよい仕事は、地方が責任と権限を持って行うということである。そのためには、それにふさわしい権限と財源を地方が確保できなければならない。

この課題に対応するため、小泉内閣は２００２年に三位一体の改革を進めることを閣議決定した。三位一体の改革は、「地方交付税の改革」、「税源移譲」、「国庫補助負担金の改革」の三つの内容から構成される。

地方交付税については、総額を大幅に抑制し、交付しない自治体を増やす。税源移譲については、3兆円規模の金額を、国税から自治体のインフラやサービスに使われる地方税へ移譲する。使い道が特定されている国庫補助負担金については、4・7兆円の改革のうち約3兆円分を、使い道が特定されない一般財源とした。三位一体の改革をおおまかに言うとこのようになる。

これは、ある意味「大改革」と言える改革である。当時、筆者の一人（竹中）は、経済財政政策担当大臣だったが、正直なところ当初は、せめて一兆円規模の税源移譲をしなければ改革にはならないと考えていた。その時の財務大臣は塩川正十郎氏で、総務大臣は片山虎之助氏だった。あるとき、国会審議が始まる前の控室で、事務方を排して、財務、総務の両大臣と福田官房長官、私の四人で打ち合わせをすることになった。打ち合わせは大激論となった。怒鳴りあいの大ゲンカと言ってもいいかもしれない。私は、いくつかの案を用紙に書いて用意していたので、その紙を次々に示し、これでどうか、不満ならこちらの案はどうかと彼らに突き付けた。後に、竹中大臣が膨大な紙をばらまいて説得にかかってきたと話題になったが、最終的には3兆円規模の税源移譲を決定することができた。しかし、徹底した税源移譲を決定するまでには至らなかった。本音では国は権限を渡したくないのである。

地方分権一括法を見直せ！

これは国の仕事で、こちらは地方の仕事、と決めた法律がある。通称で地方分権一括法と呼ばれる。*筆者は、この地方分権一括法の抜本的な見直しが必要だと考えている。国も地方も互いに不満を抱きながらも、本音では現状の制度にもたれ合ってきたからである。

地方は、国はいろいろな補助金に規制を設け、地方に自由を与えてくれないと主張するが、いざとなれば国が助けてくれると考えている。国は、地方は勝手なことばかりやると言いながらも、地方の行政をある程度コントロールできると考えている。事実、中央省庁出身の知事や市長は多数いる。地方分権と言いながら非常に「曖昧な分権制度」となっているのが現実である。ある意味では、両者にとって大変旨みのある制度となっているのだ。責任を持って、国は国の仕事を、地方は地方の仕事を行うということは、実際は大変難しい側面がある。表だって地方分権に反対する人はいないが、筆者らの実感では、首長の多くは真の地方分

地方分権一括法
正式名称は「地方分権の推進を図るための関係法律の整備等に関する法律」2000年4月施行。

権に反対だと思う。表面上地方は、自由を守れるものの、自由には責任が伴う。責任を負わされることを回避したいからである。

民主党はその点がよくわかっていて、地方分権を言わなくなった。「地方主権」という用語を使い、使い勝手のよい補助金を出せ、と主張するようになった。その瞬間、地方分権がどこかに飛んで行ってしまった。安倍内閣もデフレ克服など他にやるべきことが山積しているためか、地方分権には積極的ではない。安倍内閣はそれなりの実績をあげたが、本格的な改革に手を付けていないテーマが三つある。地方分権、社会保障改革、エネルギー政策である。積み残された日本の宿題となっている。

いま必要なことは、地方分権一括法を抜本的に見直して、国と地方の仕事の担当を明確にすることだ。そして地方の仕事であるなら、それについては明確に地方に権限と財源を移譲し、責任を持たせる必要がある。まさに、「曖昧な分権」から「明瞭な分権」に移行することだ。わかりやすい例として教育がある。

教育は国の仕事か、地方の仕事か、と問われたらどう答えるだろうか。答えは法律の建前上、地方の仕事である。地方自治体には教育委員会があり、代表者として教育長がいる。都道府県教育委員会は県費負担教職員の教員人事などを、市町村教育委員会は学校で使用する教科書採択などを行う。ところが、義務教育諸学校の教職員の給料・報酬の三分の一は国庫負担となっており、文科省が握っている。三位一体の改革の際、義務教育費国庫負担制度の存続・廃止が問題となったが、結局、負担率の軽減で決着し、制度は存続した経緯がある。

別の例をあげれば生活保護制度がある。生活保護の実際の支給は、すべて地方に投げられている。その結果、A市とB市では、A市の方が生活保護を取りやすい、B市は取りにくいなどの問題が起きてくる。生活保護は所得の再分配政策なのだから、本来は国がやるべき仕事である。国と地方の仕事が明確に整理されていないため、このような問題が起きてくる。所得再分配である社会保障は明らかに国の仕事であり、地方自治体が担うということはあり得ない。

いっぽう、地方分権一括法の見直しにより地方の仕事が増えてくると、地方は責任を持ってその仕事を行わなければならない。しっかりした情報開示をするなど様々な対応が迫られる。ところが、現実には、会計を複式簿記で記録し、バランスシート（貸借対照表）や損益計算書などの財務諸表を作成することすら十分に行っていない自治体もある。例えば、第三セクターのようなものを含めた連結の財務諸表をきちんとつくらない自治体は数多く存在する。そういう自治体は、本音では地方分権を歓迎しないのである。

国と地方の仕事をどのように分けるかという課題はある。防衛や国土保全、所得再分配に関する仕事は国が行い、住民サービスに直結する仕事は地方が行うという観点で仕分けすればよいと思う。当然、どちらに属させるかというボーダーライン上の仕事は多数出てくる。その点については、他国の実例などを参考にして十分議論すればよい。

地方分権の原則は「受益と負担の一致」

人々は、自分が住む自治体に納めている税金がどのように使われているのかということに対しては、ある程度の関心を示す。ところが、国に納めている税金については、具体的に何に使われているのかが見えてこないために関心は薄くなる。これは受益と負担が不一致を起こしているからだ。受益と負担が一致するとき、顧客の声は届く。例えば、金は払ったけれど、金を受け取った人とは別の人から食事を提供されたなら、食事がまずくても文句は言えない。しかし、金を払った食堂の店主が提供した食事がまずかったなら、堂々と文句を言える。つまり、地方分権の原則は、受益と負担を一致させることにある。

国の仕事と地方の仕事を明確にしたなら、国は税源をきちんと地方に移譲する必要がある。さらに、受益と負担を一致させることによって、税金が効果的に使われていることを住民に実感させなければならない。

かつて経験したことだが、アメリカのカウンティ（郡）で、受益と負担の一致に関して非常にわかりやすい事例があった。ある日、スクールを運営している学区の担当者から住民に手紙が届いた。手紙の内容は次のようなものだった。

「今、あなたのお子さんはパブリックスクールに通っています。現在は生徒全員に選択外国語を4科目用意していますが、財政が苦しくなってきていますので選択外国語を2科目に減らしたいと思います。もし、あなたが4科目を維持することを希望するならば、スクールタックスを増やしていただければ対応いたします」。

これは受益と負担が一致する例である。受益と負担が一致していないと、科目数を減らすとはけしからんということになり、互いに揉めることになる。

地方分権は、受益と負担の一致を前提に進めなければならない。繰り返しになるが、国の仕事と地方の仕事を明確に区別し、国は税源を地方に委譲し、地方に権限と責任を持って行政を担ってもらう。地方にとっては新たな責任を負わされ、それだけ厳しさも増す。しかし、このことにより真の住民サービスが実現し、財政の無駄遣いも減らすことができる。また、政府の「デジタル・ガバメント実行計画」が進展し、行政サービスの１００％デジタル化が進めば、さらに住民の細かなニーズに対応した行政が可能となる。

地方衰退解決策の一つとしての介護問題対応

地方創生は、ある意味決定的な「解」のない問題と言える。都市立地を好む知識集約型産業のウェイトが高まるという構造変化が背景にあるからだ。

経済学者で駒澤大学准教授の井上智洋《いのうえともひろ》氏が「地方創生と言った瞬間に負け戦だ」と指摘している。地方を支援するという発想は、経済状況が悪化するスピードを緩める程度の話で、地方が強くなるための抜本的解決策が示されていないという意味である。

地方の経済状況が、かなり厳しい状況にあることは否定できない。現代の産業は知識集約型で、高度な知的労働が生産に重要な役割を果たす。専門的な知識、研究開発、デザインなど多面的な要素が集積して、新しいサービスを生み出す。例えば、エコノミスト、会計士、デザイナー、さらに技術者を組み合わせ、その組み合わせの微妙な違いから新しいアイディアが生まれる。そうなると知識集約型の産業は、都市に立地する方がより効率的な活動ができる。都市はまた、新しいライフスタイルを提示する空間でもあり、人間活動に対して魅力的なものを数多く提供してくれる。一方で、地方には自然の魅力がある。その自然の魅力が十分に発揮されているかというと、どうも発揮されていないように思える。

今、地方は非常に不利な状況にある。日本の人口は2009年をピークに減少を続けているが、地方の人口減少率は都市部に比べはるかに高い。人口減少は生活に様々な影響を及ぼす。例えば今まで1日に4便飛んでいた飛行機が1日2便になるなど、地域の公共交通手段が縮小に向かう。人口規模が不十分で採算が合わないことになれば、小売業、医療機関などの生活関連サービス産業も撤退していく。税収減により、行政サービスも低下するかもしれない。人口減少により地域の利便性が低下し、居住の魅力も低下すれば、さらなる人口減少を生むという悪循環が起こる。

いまのところ、これらの課題を克服するための魔法の杖はない。様々な試みが行われているが、悪化するスピードを若干緩めるというのが精一杯の現状だ。

そこで地方を活性化させる一つの策として、高齢者の「地方移住」が考えられる。超高齢化社会の到来により、要介護者は増加し続けており、特に75歳以上での割合が高くなっている。人口の多い首都圏での高齢者数の増加は著しく、今後、介護施設が不足していくのは目に見えている。不足を補うには施設の増設が必要となるが、地価の高い首都圏では採算面での課題があり、また、施設運営のための人材も確保しなければならない。この課題に対して、２０１５年に日本創生会議が打ち出したのが「地方移住」である。介護が必要になる前に地方に移り住む。もし、介護施設に入ることになったとしても十分対応できるだけの施設数があり、都市部よりも地価や人件費の安い地方ではかかる費用も低く抑えられる。

このような提案に対して、当然、地方を姥捨て山のようにするのかという類の批判は容易に出てくるだろう。しかし、住み慣れた地域を離れたくないという人は別として、都会のノイズよりも地方の静けさや自然に価値を見出す人の中には、移住を決断する人も出てくるだろう。高齢者の移住により、施設のサービスを支える若手や中堅の介護関係者の就職の機会も増えるだろう。さらに、増加した人口を支えるための生活関連サービス産業の関係者も増え、地域は徐々に活気を取り戻していくことになる。また、総じて高齢者は成熟した文化志向を持っており、地域の文化振興にもつながっていく可能性もある。

以前、八丈島（東京都八丈町）を訪問した際、「島としては高齢者にたくさん来て欲しい」と、町長が面白いことを言っていた。一般的には、若い人に来て欲しいという地域が多い。しかし、町に大きな産業があるわけではなく、働ける職場は少ない。高齢者は既にある程度のお金を持っており、特に賃金を得るための職場を紹介する必要はないことが理由らしい。実際、マレーシアは日本の年金生活者を数多く受け入れている。

唯一の課題は、日本の制度では社会保障負担の一部を地方が負担することになっているため、地方政府の財政負担が増えることである。地方は、本音では、社会保障負担が増える高齢者よりも、働き盛りの若い世代に移住して欲しいと願っているはずである。そこで、社会保障費の地方負担増分を国が肩代わりする制度を設ければ、地方も高齢者を受け入れやすくなるだろう。

介護問題は超高齢化社会の日本において、避けて通れない問題である。それを国が資金面で支え、地方政府が担っていく。高齢者の地方移住と地方政府による介護政策が、地方創生のひとつの決め手になると考えている。

提言

一、地方分権一括法を見直し、国の仕事と地方の仕事を明確に区分する。それに合わせた権限・財源を国から地方に移す。

二、地方活性化の切り札として高齢者の地方移住を促進し、それに伴う社会保障の地方負担を国が肩代わりする。

日本の宿題3

道州制を導入する

避けては通れない市町村の規模拡大

市町村は基礎的な地方公共団体で、基礎自治体と呼ばれる。これに対して都道府県は広域の地方公共団体で、広域にわたる事務や市町村に関する連絡調整事務などを行う。

地方分権を進めるうえで鍵となるのが、基礎自治体の規模だ。地方が「責任と権限」を持って行政を行うには一定の規模が必要になってくる。費用曲線を用いた財政学者によるいくつかの試算がある。人口が増加すると、ある一定のところまでは様々な平均費用が逓減し、規模の経済が働く。しかし、ある点を越えると平均費用が高くなり、規模の不経済が働く。試算の方法にもよるため決定的な数字は出てこないが、規模の経済が働く人口規模は10万人から30万人は必要だと言われている。もしも、人口規模10万人が必要とするなら、日本の人口1億2600万人から単純に計算して、自治体の数は1200から1300が適切という計算になる。

地方分権の担い手となる基礎自治体にふさわしい行政基盤を確立するという目的で、平成の大合併が行われた。1999（平成11）年4月時点で3229あった市町村数は、2010（平成22）年4月時点には1727まで減少し、2019（平成31）年8月時点で1718自治体となっている。規模の経済が働く10万人程度の自治体を増やそうということで、補助金を出して合併を促進してきた。人口の偏りを考慮しないで、平均してみると1自治体7・4万人ほどになる。1自治体平均10万人程度にするには自治体数を1200程度まで減らさなければならない。

これを1自治体30万人規模にしたらどうなるだろうか。単純に計算すると自治体数は約400程度になる。富山県、秋田県といったところの人口が概ね100万人だから、そういう地域で30万都市が3から4か所できたら、他の市町村はほとんどなくなる。したがって、もはや県という単位自体が意味を持たなくなるということだ。

そこで、都道府県単位ではなく、もっと広域の自治体をつくる必要があるとの認識から道州制の考え方が出てくる。いっぽうでは、道州制は不要だという意見もある。中央政府と都道府県・基礎自治体があれば問題ないという立場である。しかし、中央政府、道州政府、基礎自治体と三層構造になっているほうが、権限などを分担しやすく機能的だと筆者らは考えている。道州制は意味のある制度だと言えよう。

国は本来果たすべき役割に特化

道州制の考えは2006年に地方制度調査会の答申として示され、議論は一時大変盛り上がった。国が行っている仕事のうち、道州制の枠の中で基礎自治体が担当するほうがよいと考えられる仕事を国から基礎自治体に移譲し、財源も与える。基礎自治体は自主的な権限を持ち、責任を持って地方政治にあたる。ねらいは、国の役割を本来果たすべきものに重点化させ、内政を広く地方公共団体に担わせることにある。

道州のイメージとしては、近畿道・近畿州、南関東道・南関東州など、いくつかの案がある。２００６年の地方制度調査会の答申では、全国を9道州、11道州、13道州にわける三つの例が示されている。また、東京都はその区域のみで道州とすることも考えられるとしている。いまの都道府県の権限の多くを基礎自治体である市町村に移譲し、道州は広域事務を担当する。そして、道州には国が実施している事務をできる限り移譲する。当然、事務移譲にともない税源も移譲することになる。

例えば、中小企業の振興策を霞が関で決める必要はない。同じ中小企業と言っても地域によって特徴があり、振興策を道州で決めたほうがより実践的な効果が期待できる。国家的なプロジェクトは別として、一般的な公共事業についても同様のことが言える。雪が多い地域と、ほとんど降らない地域とでは、道路の仕様自体が異なる。その地域にあった仕様で道路を建設する方が利便性は増す。橋の新たな建設などでも、地域の生活や経済の実態に即して道州で決めたほうが効率的である。

都道府県制度の呪縛から抜け出せ

道州制は意味のある制度だが、実際に制度化しようとするとかなりの困難を伴う。

江戸時代、年代によっても異なるが徳川幕府のもと、地方には260前後の藩が置かれていた。明治4(1871)年の廃藩置県により藩は府県に改められ、1使(開拓使)、3府、302県となる。その後、何度かの統合を経て数は減少。戦後の1947年に現在の都道府県制度が公布され、現在、全国は47都道府県に分けられている。気がついてみると、今の日本の社会制度は、この都道府県制度のうえに成り立っていることがわかる。

まず、47都道府県にはそれぞれ国立大学がある。1949年に「国立学校設置法」が施行され、69の新制国立大学が発足している。かつては、国立は一期校、二期校に分けられ、2回受験できるようになっていた。大学以外では、新聞社、テレビ局、銀行なども都道府県ごとに存在する。これらの機関は地域を代表する企業となっている。もし、道州制が導入されれば彼らは間違いなく既得権を失うことになる。道州制の導入に積極的になるとは考えにくい。

もう一つあげるとすれば、甲子園で行われる夏の高校野球の大会である。各都道府県から1校は参加する。人々は無意識のうちに地元代表を応援するだろう。そういう意味で都道府県制度というものは私たち国民の中にしっかりと根付いており、なかなか越えられない壁となっているのだ。

かつて、小泉内閣のときに総務大臣として道州制のキャンペーンを行ったことがある。地方では、キャンペーンに対する反応は非常に鈍かった。県庁の幹部に理由を聞いてみると、これは結局、国家公務員と地方公務員の縄張り争いでしかないのでは、という反応である。重要なのは、曖昧な分権から明確な分権へ、受益と負担の関係をより明確にした地方分権を実現することだ。政治のリーダーは、その点を強調して制度改革を進めなければならない。

「国土の均衡ある発展」という勘違い

道州制が導入されると、各道州は国土政策の肩代わりをしなければならない。日本の国土政策は諸外国に比べると、非常に特徴のある政策となっている。そのねらいは、「国土の均衡ある発展」だ。国民生活の均衡ある発展ならわかるが、国土である。「土」という文字が入っている。他の多くの国々は国民生活の均衡ある発展を主眼としている。

国土という概念は、ある説によると「満州国」(中国東北部を領域として成立した日本の傀儡《かいらい》国家)支配から来ていると言われている。当時日本政府は、日本人を満州に入植させ、国境地域に住まわせた。つまり、国の政策が土地と深く結びついていたのだ。

「国土の均衡ある発展」を掲げたのは、満州国から引き揚げて国土庁に勤務した官僚たちだと言われている。彼らはこうした発想で全国総合開発計画*(全総)を策定したのだ。

地域発展の核であるコンパクトシティ

これまでは、東京、大阪などの大都市では増え続ける人口をどう支えるかということが課題だった。しかし、急激な人口減少が進んでいる地方では、地方の生活基盤をどう維持させるかという観点から、コンパクトシティという考え方が有効になりつつある。都市の中心部に、行政、商業、住宅などの都市機能が集中す

全国総合開発計画(全総)
全総はその後第4次まで策定される。1998年に策定された第5次計画のタイトルは「21世紀の国土のグランドデザイン……地域の自立の促進と美しい国土の創造」(2010年~2015年目標)となっており、あえて第5次という言葉は使用されなかった。従来の開発主導はやや弱まり、地域主導の国土づくりへと方針を転換している。

1950年に制定され、全総の法的根拠となっていた「国土総合開発法」も2005年に改正され、「国土形成計画法」となった。

る、まさにコンパクトな都市である。そこに集落の維持が明らかに難しくなった人たちに移住してもらう。

これまで日本では、国土の均衡ある発展の名の下に、人口が極端に減少しわずかの住民しかいない地域にも、電気、ガス、水道、道路などのインフラを提供してきた。しかし、今後は発想を変えて、もはや限界にきている集落の人々には、補助金を出して道州の都市に転居してもらう。道州の中に幾つかのコンパクトシティをつくり、そこに集まってもらうほうが、行政は効率的になり、国民生活の均衡ある発展が実現だろう。これは、国土政策の大転換になるが、人口が大幅に減少する社会では必要な政策と言える。

国立社会保障・人口問題研究所は、現在（2019年）、約1億2600万人の日本の人口は、25年後の2045年には約1億600万人になると予測している。東京都以外は人口減少の予測となっており、例えば、現在、人口約100万人の秋田県は2045年には約60万人、同じく約100万人の和歌山県は約70万人と予測されている。予測で、2045年に人口50万人以下の県は、鳥取県と高知県である。

図2：日本の市町村の人口規模別総数の推計

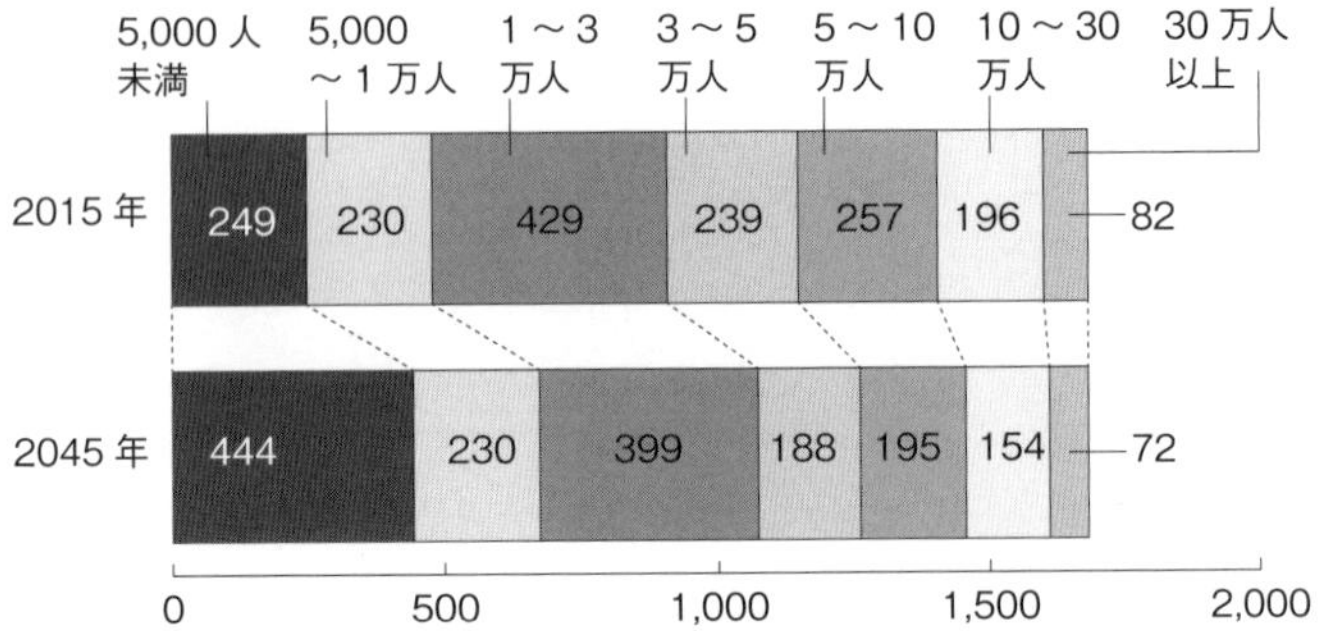

＊推計の対象となる地域
1県（福島県）＋1,647市町村＋東京23区＋12政令指定都市128区
（2018年3月1日現在）
【出典：国立社会保障・人口問題研究所資料】

また、規*模別市区町村数（総計1682）を見ると、2015年時点で人口が5000人未満の市町村数は249存在する。これが、2045年には444に増加していく。実に、全国の市区町村の26%が人口5000人に満たない計算になる。

これまで地方分散という概念があったが、最近は誰も言わなくなった。人、機能を都市に集積させる方向が世界的な傾向になってきており、地方分散政策はほぼ失敗した概念と言える。

平成の大合併は自治体数を減らす効果はあったが、市域を広げてしまったという反省もある。いくつかの市町村

規模別市区町村別推計結果　出典は国立社会保障・人口問題研究所「日本の地域別将来推計人口」平成30（2018）年推計。同統計では、福島県については全県での推計のみを実施しているため、規模別市町村別統計には福島県の59市町村は含まれていない。また、東京23区、12政令指定都市128区などが含まれる。

が合併し、市域がかなり広くなったところもある。結果、コンパクトシティになりにくい状況が生まれることとなった。かつては村だった地域の人たちにも市民意識が生まれ、特に中央に行く必要性を感じなくなった。

そのような中でコンパクトシティ戦略を推進しているのが富山市だ。富山市は２００５年に旧市と4町、２村が合併し、現在の富山市となった。その結果、市域面積は富山県の30％ほどを占める広さとなり、広い市域に住民がまばらに居住する状況となった。そこで市は、まずＬＲＴ（市内電車環状線）を整備し、快適な交通の便を実現した。市民にはＬＲＴ沿線地区への居住を勧め、さらに中心市街地の活性化を進めた。その結果、中心市街地とＬＲＴ沿線地区への人口移動は転入超過へと転じた。

地方中核都市の発展こそ鍵

地方では急激な人口減少が進んでいると述べたが、それは地方全体を捉えて見た場合である。

東京だけが人口増加し繁栄を続けており、地方はすべて衰退にむかっているという一般的な認識には、大きな誤解が含まれている。40年のスパンで見れば、東京都の人口増加率は20%程度だが、札幌市や福岡市の人口増加率は40%を超えている。地方の中核都市のほうが人口増加率は高いのである。バブルの時期に経済学者の野口悠紀雄《のぐちゆきお》氏は、将来にわたる需要を踏まえて価値を計算する理論地価という概念を用いている。当時、理論地価と実際の地価との剥離《はくり》の程度が最も高かったのが福岡市だった。東京よりも地方の中核都市のほうが、活況を呈していたのである。地方中核都市をうまく活用していくことが、地方衰退の解決策と言える。

道州間の経済力格差を埋める新たなタイプの地方交付税

道州制を導入しても、道州によって経済力の格差はどうしても出てくる。それに対してどのような制度を設けるかという課題はある。一つの考え方として道州に対して国から地方交付税を出すという方法がある。当然、国が大きな影響力を行使できるような現在の地方交付税を改め、制度の見直しが必要になる。

地方交付税には普通交付税と特別交付税の2種類がある。交付税のうち94%が普通交付税にあてられ、地方自治体の一般的な財源に対する不足額として公布される。残りの6％は特別交付税で、災害復旧など特別の財政需要などがある場合に公布される。この特別交付税は、地域にとっては当初予算以外のお金であるため、政治家にとっては非常に効果的に活用できる財源となっている

例えば、この地方交付税を県の面積と住民の数で、つまり県民一人当たりの面積で割り振ったとしたらどうだろうか。自動的に割り振られるため中央省庁の影響力は排除できる。当然、割り振られた県は責任を持って行政を行う。面積人数基準と言われるこの割り振り方により、中央省庁が恣意的に県の政治に介入することを防ぐことができる。

「うちは雪が多いのだから、面積と人数で割り振られたら困る」、「うちは台風が多いから困る」などというのは、明らかに中央依存思考で地方分権の放棄と言ってよい。割り振られた財源で責任をもって、知恵を出して政治にあたるのが真の分権である。

ただ、離島振興法、沖縄振興法、北海道振興法など、道州制となっても中身を変えて残した方がよいものもある。

厚労省の都道府県労働局、農林省の地方農政局など、国の行政機関は全国に出

先機関を設けているため、結果的にいま、国家公務員のうちの3分の2は地方にいる。もし地方には優れた人材が少ないというならば、彼らを仕事・権限とともに地方に移せばよいだけの話である。

提言

一、道州制を実現し、国は本来の役割に特化する。
二、その前提としての基礎自治体を強化するため、市町村のさらなる合併を進める。

日本の宿題4

東京を独立させる

江戸の範囲

「江戸」という用語がいつから使われるようになったか、正確な年代を現存する資料から確定することは難しい。「入り江（日比谷の入り江）の門戸」や「岬」を意味するアイヌ語からきたなど、地名の由来には諸説ある。平安末期には秩父氏の一支流である江戸四郎重継が現在の皇居辺りに館を設けている。

江戸時代後期、地図上に朱線を引き、それまで不明確であった府内・府外の境界を明確にした。朱引《しゅびき》と呼ばれる。府内は、東は亀戸・小名木《おなぎ》村辺、西は角筈《つのはず》村・代々木辺、南は上大崎村・南品川町辺、北は上尾久・下板橋村辺の内側と定められた。また、町奉行の管轄する範囲も黒線で地図上に示された（墨引《すみびき》）。墨引の範囲は、目黒付近での例外を除き、朱引の内側だった。

小名木村　現在の東京都江東区にあった村名。東京府南葛飾郡小名木村。明治22（1889）年の町村合併により名称は消滅した。

角筈　現在の東京都新宿区南西部。

本郷の東大の側に「かねやす」という雑貨屋があり、入り口の柱に「本郷もかねやすまでは江戸の内」という看板が掛けられている。つまりその場所が江戸の町のはずれだった。京浜東北線に田町駅がある。現在、町名は廃止されたが、かつて田畑が広がる地域が町屋になったため田町と呼ばれるようになった地域で、江戸の南のはずれに位置していた。

地球の夜、世界で最も明るく輝く東京

トロント大学の都市経済学者リチャード・フロリダは、夜間に撮影された地球の衛星写真から、地球が数十か所の灯りの固まりでできていることに気づく。そして、その灯りの量からGDPを推計した。灯りの固まりが世界でいちばん大きな地域、つまりGDPが世界で最も高い地域が東京圏である。次に大きい地域は、ボストンからニューヨーク、フィラデルフィア、ワシントンD・Cに至るアメリカの東海岸である。日本の大阪周辺も大きな灯りの固まりとなっている。急激に固まりが拡大しているのが上海周辺である。

世界で一番大きな灯りの固まりを持つ東京は日本の誇るべき宝であり、これを

よりいっそう強くする方策を検討すべきである。一つの方法として考えられるのが、東京に現状の地方自治制度とは異なる枠組みを設けることだ。

東京独立

日本では、地方自治の考え方のもと、東京も地方の県も北海道も一つの法律の中で扱われている。しかし、この扱い方には明らかに限界がある。長い間に大都市と地方の税収格差は拡大し続け、現在、地方は極端な財源不足に陥っている。国は、この格差を是正する目的で、企業が地域に納める税金（法人住民税と法人事業税）*の一部を国税化して、地方に再分配することを行っている。これら法人二税総額の四分の一は東京に拠点を置く企業からのものだ。税収の多い東京から恣意的に財源を取り上げて、他の地方に再配分しているのである。この例からわかるように、東京はいま、日本の中で非常に特別な存在になっている。そうであるならば、その現状をしっかりと受け入れ、東京を特別な自治体として明確に位置付けるべきだという主張が「東京独立」である。

大阪都構想の立役者である橋下徹《とおる》元大阪市長も、大阪府・大阪市が大阪都と

法人住民税と法人事業税　企業が都道府県や市町村に納める地方税で、地方法人2税と呼ばれる。国は法人2税の一部を国税化し、地方に再配分することを繰り返してきた。

なったとしても、東京都と大阪都では根本的な違いがあると述べている。まず、持っている資産などリソースが違う。東京は莫大な資産を持っている。また、世界における東京の競争力は、そのまま日本の競争力と言っても過言ではない。東京が上海や北京や香港と、ニューヨークやロンドンと競争していることは、日本が中国やアメリカと競争していることとほとんど同じ意味なのだと。

いま国は、東京の財源を地方に移転させる政策を推し進めている。こうしたことのみに依存するのではなく、地方は地方の努力で活性化させていくことが大切である。東京を地方のための金庫にするのではなく、アメリカのワシントン特別行政地区のような位置付けにし、これまで以上に世界に対抗できる強い東京にしていかなければならない。

特別行政地区「東京」の誕生

香港やマカオのように独自の行政機関を持ち、独自の法律が適用される地区は特別行政区と呼ばれるが、東京独立が目指すのはワシントンＤＣ*（Washington, D.C.）のような特別行政地区（以下、東京本部と呼ぶ）である。アメリカ合衆国の

*ワシントンＤＣ
法律上の名称は、コロンビア特別区"District of Columbia"

首都ワシントンDCは、州には属さず、連邦直轄であり、行政上は他の州と同等の地位にある。ワシントンDCと同じようなシステムを取る必要はないが、政府直轄の扱いとし、東京担当大臣を置く方法が考えられる。

行政の範囲は、本来は東京近郊の県すべてを含めることも考えられるが、東京100キロ圏とか、50キロ圏とかで区切るのがわかりやすいと思う。また、シンガポールの面積が東京23区の面積の1・15倍ぐらいだから、当初は東京23区で出発する方法もある。

特別行政地区「東京」の役割

地方自治は、住民の意思を反映し、地域の住民の公益を満たすことを目的としている。当然、東京においても、住民の意見を反映させ、暮らしやすい街にすることが求められる。しかし一方で東京は、日本の戦略基地の役割も担っている。例えば、港区にある六本木ヒルズは東京の、日本のランドマークとして重要な役割を果たしている。しかし、港区の一部の住民にとっては日照を妨げる迷惑な建造物かも知れない。現実にその建設には港区民から反対があったという。しかし、六本木ヒルズがあることによって、東京の力が、ひいては日本の力が高まった。この例のように、日本全体を強くするための戦略基地構築と、住み心地のよい街をつくることとが、どうしてもぶつかる時がある。その場合に、やはり東京には戦略基地の役割を担わせよう、総合的な戦略性を持って街をつくろうというのが東京独立の趣旨である。当然、住民の住み心地の良さを一方的に悪化させるような政策はあり得ないが、東京を日本の戦略基地にするための政策が優先されるような特別な配慮が必要になると考える。

特別行政地区の東京には様々な可能性が生まれる。例えば、東京が持っている土地や建物などのアセット（資産）を内外マーケットで活用する。所有権の売却でも、運営権の売却でもいい。東京が持っているアセットを日本のために使うのである。東京の資産市場が活性化すれば、東京は本当の意味で世界の金融センターになれる。入ってくるお金を、高度な情報ネットワークの構築や、より効率的な交通システムの開発などに投資する。そして、東京を世界に誇れる、最も輝いている街に変貌させるのである。

特別行政地区になると、現在の区の役割をどうするかという課題は残る。区は残しても、結果的に行政は東京本部が主導することになるだろう。その結果、街づくりについても東京全体を見て設計できるようになるため、それぞれの地区が果たす役割を明確にした整合的な開発が可能となる。

提言

一、東京を日本全体の戦略基地としての特別行政地区とする。
二、そのトップは国務大臣とする。

日本の宿題5

令和の農地改革を実施する

農業は成長産業なのに、なぜ「飼料米」をつくるのか

日本の地方、つまり都市部ではない地域の活性化を図るための大きな柱は、一次産業と観光である。とりわけ農業を伸ばすことが一つの有力な方策だ。日本の農業には大きな可能性があり、成長産業として伸ばしていく余地が十分ある。

折しも今、世界中で日本食ブームが起きている。米をはじめとする日本の農産品や日本酒の輸出を大きく伸ばしていくチャンスである。小麦に含まれるたんぱく質（グルテン）を控えている人も増えているので、米でピザやパスタをつくったりする可能性もあり、世界に目を向けると米を活用するチャンスはいくらでもある。

ところが、今、日本の農林水産省は、人間が食べる米ではなく、牛・馬・鳥に

食べさせるための「飼料米」の生産を農家に奨励している。安倍内閣になって減反をやめたことになっているが、一方では、減反の代わりに飼料米づくりを奨励し、補助金を与えているのだ。

ある地方在住の兼業農家の知り合いが、定年後に数人で出資して、株式会社を立ち上げ、田んぼを集約して米をつくり始めたが、生産する米の半分が飼料米とのこと。それなりの補助金が出るからだろうが、人間が食べる米と変わらない、れっきとした米をつくっているのに飼料米とは、なんともったいない話である。

飼料米づくりに補助金を与える政策については、結果として食糧自給率があがるので良い政策ではないかという意見もある。しかし、自給率を高める方法はほかにもある。飼料米ではなく、良質の米をつくって輸出するほうが、日本の米づくりにとって明らかに良いだろう。

モデル事業は失敗の連続

飼料米への補助金という愚策に象徴的に表れているように、日本の農業政策には的外れのものがあると言わざるを得ない。さらに言えば、「地方創生」との絡みで、モデル事業という名のもとに地方にお金をばらまいているという、もう一つの大きな問題がある。

モデル事業は日本政府が行う典型的な政策だ。ちょっと目新しい最先端の事業（「モデル事業」）にお金を付けてあげるという政策で、それが地方創生につながるかもしれないという期待のもとに行われている。モデル事業の期間は通常は2～3年程度。したがって、事業者はお金が付いている間は頑張るけれどモデル期間が終わった途端に事業は終了、ということが繰り返されてきた。いわば失敗の連続である。モデル事業の多くに持続性はなく、ちょっと目新しいことをやってみせましたという程度の延命的な施策にすぎない。これで、日本の地方創生がうまくいくはずはない。要するに、日本の農業問題の解決策はそこにはないということである。

戦後の農地改革と農業委員会

では、日本の農業を成長産業にするためには何が必要なのか。それは、令和の時代にふさわしい新しい「農地改革」を実施することである。

なぜ今「農地改革」が必要なのか。その理由を知るためには、まずは太平洋戦争終了直後にGHQ統治下で行われた「農地改革」を振り返る必要がある。

1946（昭和21）年に成立した「農地改革法」は、財閥解体・労働運動解放とともに行われた「民主化」のための政策の一つだった。戦前の農村は地主制のもと、土地を所有する地主とそこで働く小作人によって構成されていた。小作人は収穫高の何割かを小作料として地主に納めなければならず、1900年代初期には小作料率は50パーセントから60パーセントに及んだ。しかし、この法律によって、不在地主の小作地すべて、在村地主の小作地のうち1町歩（北海道は4町歩）を超える全小作地、さらに3町歩（北海道は12町歩）を超える農地を政府が強制的に安値で買い上げて、小作人に売り渡された。当時は戦後インフレの真っただ中であり、安価というよりもタダ同然と言ったほうがいいかもしれない。

農地改革とは、要するに農地の細分化である。1町歩は3000坪（約9900平方メートル）であり、現在（2019年）の販売農家の全国平均の耕地面積*が2・50ヘクタール（2万5000平方メートル）と狭小なのは、この時の政策がいまだに効いているからである。

＊全国平均の耕地面積　都道府県の全国平均の耕地面積は北海道を除くと、大きく減少し、1・77ヘクタール＝1万7700平方メートルとなる（数値は2019年・農林水産省統計）。

実は、この時、日本政府は「農業委員会等に関する法律」というもう一つ重要な法律を制定している。この法律は、「農地の無秩序な開発を監視・抑止する」という名目で、市町村に設置された農業委員会に、農地の売買や農地転用に際して強い権限を与えるものである。

農地は個人所有の不動産ではあるものの、国民の大切な食料を生産する公共的役目を持つからというのが表向きの理由だが、実際は零細農家が土地を売ってしまい、大地主が再び現れることを阻止しようというのが当時の狙いだった。

市町村の農業委員会は農地に関する行政委員会であり、農業委員は公選制であり、農家の選挙によって選ばれた。農業委員会は、原則として、農家要件を満たさない者への農地の所有権移転等を認めず、都市計画の用途指定区域にある農地を除き宅地などへの変更を許可しない。つまり、農地の所有者の個人的意志のみで勝手に売買処分や地目の変更ができないようにしたのである。

農業委員会は市町村長の任命制になったが……

その後、日本の農業は衰退の一途をたどった。米農家の保護、国民の米離れなどが原因だが、農家の高齢化がこれに拍車をかけた。農産物の競争力を高めるためには、農業の効率化が至上命題だったが、農地売買の原則禁止がこれを阻止した。農業委員会は、設置されたときには一定の存在意義もあったかもしれないが、その後、社会の状況が大きく変化したにもかかわらず、依然として存在し続けたことが、日本農業の近代化を阻んだのである。

しかし、転機は2014（平成26）年に訪れた。兵庫県養父《やぶ》市が「中山間地農業の改革拠点」として国家戦略特区に認定されたのを機に、同市の農業委員会の同意のもとに公選制を改めて市長の任命制に変えたのである。その後、2016年には「農業協同組合法等の一部を改正する等の法律案」が可決・成立し、すべての市町村で農業委員の公選制を廃止して、議会の同意による市町村長が任命することになった。

ただし、農業委員は「農業に関する識見を有し、農業委員会の所掌事項に関し職務を適切に行うことができる者のうちから、市町村長が議会の同意を得て任命」するとされ、原則として、認定農業者等が農業委員の過半数を占めることなど、依然として、他業者が農業参入しにくくなっている状況に変わりはない。より抜本的な農地改革が必要である。

政治家・官僚機構・零細農家のトライアングル

そもそも、日本の農業政策は、基本的には、零細兼業農家の保護を目的にした政策になっている。専業として農業に取り組んでいる人を育成し、守っていくというのではなく、先祖代々農地を持っている人が、地元の役所や企業などで働きながら、いわば片手間に田んぼで米づくりをしている「兼業農家」を守るという政策である。

なぜこのような政策が行われているかと言えば、それは政治家と官僚機構と農家という強固なトライアングルが成り立っているからだ。農林族の政治家にとっては、零細農家の「数」が必要なのである。2018年現在、日本の農業就業人口は175万3000人であり、産業人口比では決して多くはない。しかし、国政選挙で当選するための「数」としては重要であり、政治家にとっては、零細農家にお金を配って保護するという状態が、最も多くの票が得られて望ましい状態である。零細農家は農林族と言われる政治家にとっての「票田」であり、日本の農家は「米」ではなく「票」をつくっているということである。

一方、農林水産省も、零細農家から大反発を受けるようなことをやりたいとは思わない。なぜなら、農林族の議員から大目玉を食らうことは目に見えているからだ。つまり、政策をつくる主体である政治家も、政策を実施する官僚機構である農林水産省も絶対にやりたくないということで、日本の農業政策は誤った方向に進んできたのである。

一般論として言えることは、日本の人口全体からみると少ない人しか働いていないような業界や、経済規模からみると小さな産業でも、その産業や業界が持つ既得権に配慮した政策が必ずなされる。なぜかといえば、それぞれの分野には業界団体があり、その業界団体によって支持されている国会議員がいるからである。その国会議員が大きな発言力を持つと、それ以外の業界団体から支援されている国会議員の人たちは、特に反対する理由もないので、反対しない。したがって、例え少数であっても、その議員の意見が反映されやすくなるということになる。

実は、小選挙区制になってから、その傾向がより強まっている。各選挙区から一人しか当選できないので、これまで自分を支持してくれていた人たちが、反対に回ると当選はおぼつかなくなる。したがって、仮に小さな利益であっても、既得権はすべて守ろうとするのである。

「株式会社悪者論」で企業の農地取得を阻んでいる

今の日本農業の最大の問題は、企業の参入が抑制されていることにある。企業は農地の所有ができない。農家が議決権の過半を占めるなど一定の要件を満たす農地所有適格法人は別として、例えば、通常の大手食品会社が農地を所有して農業経営をすることはできない。農業ベンチャーが上場するなどということも、およそあり得ない話である。

なぜ、企業による農地取得が認められないかといえば、その理由は「株式会社悪者論」にある。規制改革会議などで必ずといっていいほど出るのは、利益優先の株式会社（企業）に農地を取得させると、仮に儲からなくなればすぐに耕作を放棄するだろうとか、ごみ置き場にしてしまうに違いないという議論である。しかし、これはまったくの暴論で、むしろ代々続いてきた農家が米をつくらなくなったため、広大な耕作放棄地が生まれているという現実を直視しなければならない。

宅地などの転用や荒廃農地の発生により、1961年に608万6000ヘクタールあった耕地面積（田畑）は、2019年には439万7000ヘクタールまで減少している。2019年時点で、耕作されずに放棄されている荒廃農地は28万ヘクタールもある。荒廃農地発生の原因のうち、「高齢化」と「労働力不足」が4分の1を占めている。

考えてみれば当たり前のことだが、企業は収益が上がると見込んだうえで農地を持とうとする。したがって、農地を購入すれば、農業で儲けるための仕事をするはずである。つまり、耕作を放棄したいと思っている農家が農地を持つよりも、農業で儲けたいと思っている企業に持たせるほうが、耕作放棄は起きず、産廃置き場になることもないというのが合理的な判断である。しかし、残念ながら、いま政策決定の世界では、依然として「株式会社悪者論」が堂々とまかり通っており、官僚も国会議員も、絶対に企業に農地を持たせてはならないと頑張り続けている。また、一部のメディアはそれに加担する傾向がある。

しかし、官僚も国会議員も本心で「株式会社悪者論」を言っているわけではない。本音は、伝統的な農家を守りたいということである。兼業の零細農家が農協に頼りながらほそぼそと米をつくる。そういう零細農家が一定数維持されているという状態が、政治家にとっては「票」になるから望ましい。零細農家に補助金を配ってありがたがられるということが、農林水産省にとっても権力の源泉になっている。そういう状態が現在まで続いているということである。

企業参入を認めれば雇用も増える

この宿題の解決策はきわめてシンプルだ。企業に農地所有を認めて、本格的な企業参入をさせるということであり、実は、平成の時代にその一歩手前まで進んできている。

かつては農地を借りて企業が農業経営することも認められなかったが、2009年の農地法改正により、賃借であれば経営ができるようになった。小泉内閣の時にできた構造改革特区で進めた規制改革の成果の一つが、農地のリース方式の認可だった。ここでも、株式会社に農地を貸すわけにはいかないという反対意見が山ほど出た。しかし、全国一律ではなくまずは特区限定で認めようということで行ったところ、問題が起きるどころか、むしろ、企業が参入した結果、その地域の農業が良くなったという実例が生まれ、全国で認められるようになったのである。

一方で、農地の所有については、まだ認められていない。唯一の例外は、国家戦略特区で「中山間地農業の改革拠点」に指定された養父市である。養父市では、例えば、アルバムや製本を手掛けるナカバヤシ株式会社が農地を取得して、会社の本業が暇な時期に従業員がニンニクをつくるという、ユニークなビジネスモデルで収益を上げている。

要するに、企業が上手に人材を活用して、企業経営的な農業を効率的に運営していく可能性があるということだ。それは、地元の農家を駆逐するということではなく、むしろ地元の雇用が生まれることを意味している。

これは農業に限ったことではなく、水産業でも同じことが言える。漁業権には、農地の所有制限と同じような仕組みであって、基本的に地元の漁業者にしか漁業権は割り当てられない。しかし、宮城県では、東日本大震災の後に復興特区の仕組みを使って、地元の水産加工メーカーの仙台水産が、桃浦でカキの養殖を行うことを認めた。その結果、地元の高校を卒業した若者がこの会社に就職した。つまり、その若者の流出が止まったということである。おそらく農業でも、企業の参入が広がれば、地元の学校を卒業した若者がその会社に就職するというケースが増えるだろう。つまり、現在はサラリーマン生活を終えた後に地元に帰って農業や漁業を行うというのが普通のケースだが、農業や漁業への企業参入が増えれば、農業や漁業が新卒者の就職先の選択肢に入るということである。

農業や漁業への企業参入が認められないというのは、日本の農業や水産業にとって大きなマイナスであり、若者の地元離れを助長するだけである。農業や漁業への企業の本格的参入を認めることは、令和の時代に残された大きな宿題といえる。

提言

一、令和の農地改革として農地法を改正し、企業の農地所有を認める。

二、現状維持の仕組みになっている農業委員会のあり方を抜本的に改め、農地のより自由な活用を可能にする。

第2編

経済

日本の宿題6

ベーシック・インカムを導入する

世界中で格差が拡大している

2000年以降、世界の先進国で格差が拡大している。しかも、今後もさらに格差拡大が見込まれ、世界中で大きな問題になっている。にもかかわらず、各国とも格差解消に十分に対応しきれてこなかった。イギリスのEU離脱（ブレグジット）や、アメリカにおけるトランプ政権の誕生は、格差拡大問題が噴出した象徴的な事例である。

ピケティは著書『21世紀の資本』の中で、世界の格差は1970年代以降に拡大したと指摘している。すなわち、所得が上位1％の家計に集中する割合をみると、1920～40年代にはアメリカ・ヨーロッパ・日本ではいずれも約15～20％だったものが、1950～70年代にはおおむね10％弱に低下した。しかし、

1980年代以降、アメリカ17・5％（2013年）、イギリス12・7％（2012年）と再び上昇している。イギリス以外のヨーロッパや日本でも微増しているという。

AI進展によって格差はますます拡大する

さらに言えば、現在、第4次産業革命（あるいはソサエティ5・0[*]）が進展中だ。第4次産業革命とは、18世紀後半の蒸気機関を中心とした第1次産業革命、19世紀後半の内燃機関を中心とした第2次産業革命、1980年代以降のICTを中心とした第3次産業革命に次ぐ革命で、その中心はAI（人工知能）と言われている。また、ソサエティ5・0とは、第5次科学技術基本計画において示されたもので、経済産業省と経団連が強く主張している。狩猟採取社会・農耕社会・工業社会・情報化社会に次ぐ社会のことで、その中心はやはりAIである。

第4次産業革命では、格差がより拡大していくと予想されている。2030年には現在ある仕事の約50％がAIなどに代替されるとの予測もある。これまでホワイトカラーの担ってきた多くの仕事はAIとロボットに代替され、人々の仕事がなくなるのである。したがって、教育改革、労働市場改革などでしかるべく対

＊ソサエティ5・0
Society 5.0とは、「狩猟採取社会」「農耕社会」「工業社会」「情報化社会」に続く、人類史上5番目の新しい社会のこと。IoT、ロボット、人工知能（AI）、ビッグデータといった先端技術をあらゆる産業や社会生活に取り入れ、経済発展と社会的課題の解決を両立していく新たな社会。（内閣府資料）

応策をとらねば、将来的には、仕事を失って所得を得られない人がこれまで以上に出てくる可能性が大きい。

中流の崩壊

実は、日本の格差の問題はそれほど大きくはないという認識がなんとなくまだ残っている。世界中で問題になっている格差拡大やグローバル化に伴う移民などの問題は、日本ではまだそれほど大した問題ではないという見方もある。しかし、日本でも格差拡大は着実に進行しており、すでに深刻な問題になっている。

例えば、すでに見たように、日本の富裕層への集中度はイギリスやアメリカほどは進んでいない。しかし、相対的貧困率で見ると、OECD平均が11％であるのに対して、日本は16％とアメリカ（17％）並みに高い（2014年、OECD資料）。

相対的貧困率とは、国民を所得順に並べたときに、中央の人の所得額（中央値）の半分以下しか所得がない人の割合を言う。所得配分の状態をみるための一つの指標だ。

バブルの時代の日本では「一億総中流」と言われた。しかし、現在の日本では大きな所得格差が生まれている。日本では金持ちの数や程度はそれほど大きくはないかもしれないが、貧しい人の数は多いということである。

日本の格差の変遷

実は、日本では明治から昭和にかけて格差が広がり、戦後の財閥解体や農地改革で格差が縮小したという歴史がある。

所得や資産の不平等さ・格差を表わす指標としてジニ係数が用いられる。ジニ係数の範囲は0から1の間で、1に近いほど格差は大きく、0に近いほど格差は少ない。大竹文雄氏（大阪大学教授）によると、戦前の日本の所得格差はジニ係数で0・4から0・5だったが、戦後は0・3から0・4の間で推移しており、戦前に比べ戦後の所得格差はかなり縮小した。戦前は明らかに格差社会だったのである。戦後、高度成長期に低所得者の所得が上がったことにより所得格差はますます縮まっていった。

しかし、1980年代以降、所得格差は拡大するようになる。1985年のジニ係数は、アメリカが0・34、日本が0・30だったが、2012年になると、アメリカが0・39、日本が0・33と、不平等が拡大していることが読み取れる。アメリカの格差拡大は、上位所得者に所得が集中していることが原因だが、日本の場合は、人口の高齢化と単身・二人世帯の増加という世帯構成の変化も大きな原因といえる。

日本の生活保護制度は不公平

実際、日本の生活保護制度は不公平である。現在（2019年2月）、生活保護を受給している世帯数は約164万世帯であり、生活保護受給者数は約209万人となっている。日本の全人口を1億2600万人（2019年）とすると、人口比1・7％に過ぎない。日本の相対的貧困率16％と比較するといかにも少ない。

なぜ日本の貧しい人々は生活保護を受けようとしないのだろうか。一つの理由は、生活保護を受給する要件が厳しいことである。厚生労働省のホームページによれば、預貯金や生活に利用されていない土地や家屋等があれば売却して生活費に充当し、働くことができれば各自の能力に応じて働くことが前提になる。さらに、年金や手当など他の制度で給付を受けることができる場合は活用しなければならず、親族等から援助を受けることができる場合はそれが優先される、という具合である。

さらに言えば、日本の生活保護は所得水準が低ければ自動的に受給できるようにはなっていないことに加えて、生活保護を受けるのは恥ずかしいという雰囲気があって申請しにくい面がある。逆に、生活保護の不正受給が横行している、との報道を目にすることもある。

日本の格差対策は日本型雇用慣行と産業保護政策だった

なぜそのようなことになっているのか。その理由は明らかで、残念ながらこれまで有効な所得再分配政策がとられてこなかったからである。一般に、相当程度の所得格差がある場合には、政府が高所得者から税金を徴収し、貧しい人への給付を行う。これが所得再分配であり、これを行うことによって所得格差を解消している。日本では、そうした所得再分配の効果が弱いということである。正確を期すために言うと、高額所得者に対する所得税率は、日本の場合既に高い。しかし、中所得者に対する税率が低く、このため全体としての所得再分配機能が弱くなっている。

実は、日本の格差対策を実際に担ってきたのは、日本型雇用慣行と産業保護政策だった。いったん会社に入ると給料は右肩上がりで上がり、大会社に入れば中途で解雇されることはない。それなりの会社は、いかに生産性が低くても倒産することはない。つまり、生産性の低い企業をわざわざ守っていたからである。

かつての日本では、格差を生じさせないようにする事前対策が機能していたということだ。日本では政府が直接的な格差対策を行ってこなかったと言われるが、より詳しく言えば、通産省（現・経済産業省）が生産性の低い企業を守るという政策を通じて、結果的に格差対策を行ってきたということになる。そして、90年代以降、これが揺らいだ結果、かつては格差対策を担ってきた日本型の雇用慣行がむしろ格差を拡大するものになってしまっている。

実際、何が起きているのか。正社員で運用しきれなくなった企業は非正規での社員を雇用の調整弁として活用して、状況が悪くなったときには非正規社員の待遇を悪化させる、あるいは解雇するということを進めてきた。要するに、日本型雇用慣行が、結果として正社員と非正規社員との格差を大きくしている。

そういう状況の中で、これまでのように、いったん会社に入れば解雇されることはなく、所得格差は生じないというような状況ではなくなり、再分配前の格差が大きくなっているわけである。そして、従来、あまり事前に格差が生じていないということが前提になっていたために、事後的な所得再分配をあまりやってこなかったツケが、いまやってきているのだ。

ベーシック・インカムで格差縮小

このように、これまでの所得再分配がうまくいかず、その結果として格差が大きくなっている。では、どうすれば日本の格差を縮小できるだろうか。その解決策は「ベーシック・インカム」である。一定の所得に達していない場合にはマイナスの所得税が受給できる、それよりも高くなると税金がかかるというものである。基本的には負の所得税とベーシック・インカムは同じもので、税金を取る段階で給付するのが負の所得税であり、最初から一律に一定金額を給付するのがベーシック・インカムである。

日本銀行政策委員会審議委員の原田泰《ゆたか》氏は『ベーシック・インカム―国家は貧困問題を解決できるか』（2015年、中公新書）で、月額7万円のベーシック・インカム給付案を提案している。日本の人口を約1億2500万人とすれば、月額8兆4000億円で、年額に換算すると100兆4000億円となる。膨大な財源が必要となるが、所得控除・基礎年金・失業給付など現行の所得再分配政策を止め、さらに公共事業などを縮小することで賄えると、原田氏は試算している。

ベーシック・インカムに対しては様々な批判がある。例えば、ベーシック・インカムではなく失業者が働くことができる政策が必要だという議論である。これに対して原田氏は、「それは職業訓練を別途すべきであるという当然の議論だが、ベーシック・インカムを否定する理由にはなってない」と指摘している。

いっぽう、世界規模で格差拡大が問題視される中で、様々な国でベーシック・インカムの試験プロジェクトが進みつつある。ベーシック・インカムは「日本の宿題」というよりは、「世界の宿題」と言っていいかもしれない。

ベーシック・インカムが進まない理由

では、なぜベーシック・インカムの導入が進まないのか。その理由は明確で、ベーシック・インカムは公正で明快な格差対策だかである。つまり、全国民一律に一人当たり七万円を配るという「透明なばらまき」で、政治の入る余地がなくなるからである。

いま行われている政策の多くは、政治が介入する余地が大きなものだ。例えば農業を守るという名目で補助金を出す、公共事業という名の補助金を付けて建設労働者の仕事を確保する、あるいは中小企業が倒産しないように補助金を付けるという具合である。生活保護や高齢者対策にしても同じことで、要するに政治的に力を持つ特定のグループに選択的に補助するというシステムである。これは政策決定者にとっては好ましいことであり、特定のグループからの要望に応えるという形で恩を売り、その対価として選挙での票を得ることにつながる。

合理的に考えれば、不公平さや不透明性をなくすためには、ベーシック・インカムに切り替えるべきであることは明らかだ。そして、ベーシック・インカムへの切り替えは、経済状態のよい時期に実現すべきである。様々な問題が悪化してからでは遅いからだ。ところが、ベーシック・インカムに切り替えると、政治が困る。現在の政官癒着構造が、根底から崩れてしまうからである。

スイスでは、2016年にベーシック・インカム導入の是非を巡って国民投票が行われた。残念ながらその時は国民の理解が得られずに、否決されている。しかし、今後5年ないし10年の間に、世界の主要国では必ずベーシック・インカムの議論が行われるようになるだろうと筆者たちは考えている。

提言

一、ベーシック・インカム制の導入に向けて、正面から議論を本格的に開始する。

二、その際、ベーシック・インカムの水準を適切に定め、またそれに伴って削減できるコストを明確にし、財政の過度な負担を回避する。

日本の宿題7

「コンセッション」を全面導入する

高まるインフラ需要と進む老朽化

私たちが生活している国土には、公共インフラ、企業の建物・設備など、既にたくさんの資本が存在する。近年、その資本をいかに有効に活用するかということが大きな課題となってきている。一度造ったものを全部壊すとなれば費用も労力もかかる。資産の価値を見極めて有効に活用すれば費用も抑制できる。

一方で、公的部門が建設すべき新しいインフラへの需要はますます高まっている。例えば東京でも、１９９３年にレインボーブリッジが開通したことにより、箱崎ジャンクション周辺の渋滞が緩和しただけでなく、都心と羽田を結ぶルートが確保され、大変便利になった。２０１４年に虎ノ門と新橋を結ぶ環状二号線が開通したことによって、周囲の混雑は大幅に解消した。人々のインフラへの需要は消えることはない。とりわけ最近では、災害の多発に対処するため、治山治水を含むインフラ増強の必要性も話題となっている。これは、日本だけに限ったことではない。

私たちは普段あまり気づかないが、公的部門が持っている産業や生活の基盤であるインフラの中で、例えば、水道管は大変重要な役割を果たしている。しかし今、この水道管の老朽化が深刻化している。耐用年数を超えた水道管を取り除き、新たな水道管を敷設するには多額の投資が必要となる。人口減少により水道料金収入が落ち込んでいるなか、高度成長期時代のような投資は不可能である。

資本をリサイクルする

このような状況に対応するための一つの方法として「資本のリサイクル」という新たな考え方が出てきた。資本のリサイクルは、オーストラリアなどでよく使われる言葉だ。

例えば、空港という施設がある。空港は極めて重要なインフラである。ある空港が国の所有で、国によって運営されているとする。それを所有は国のままとし、運営を民間企業に任せるとしよう。公共性の高い国の交通機関を民間に渡したら、企業は私利私欲に走った運営をするのではないかと危惧する人がいるかもしれない。しかし、そうではない。空港は公的な目的を持っているため、公的な目的に沿って民間企業に運用してもらう基本は維持される。公共性は維持し、インフラの所有権は国や地方自治体に残したまま、その運営権を売却するということである。売却することで国や地方自治体に資金が入るから、その資金を使って新たなインフラに投資する。これが資本のリサイクルである。

委託や民営化とは異なる「コンセッション」

この運営権売却のことをコンセッション（concession）という。英語のコンセッションの意味は、譲歩、割譲、政府から得る免許などである。すべて民間に渡すのではない。所有権は残したまま、運営権を民間に渡して効率的に使ってもらい、資本のリサイクルを実現する。そういう意味から、コンセッションという名前がつけられている。

コンセッションは民営化の一形態と言えなくもないが、いわゆる一般の民営化とは異なる。民営化は所有権そのものを民間に売却するからだ。またコンセッションは、公的な業務の単なる委託とも異なるものだ。委託はこれまでも幅広く行われてきた。例えば、民営化される前の郵政もいくつかの業務を民間に委託していた。ポストの集配作業は公務員によって行われていたが、集めた郵便物を集配局と呼ばれる拠点の郵便局に郵送する仕事は、民間企業に委託されていた。しかし委託の場合、民間の創意工夫を活かす余地は、コンセッションに比べて極めて小さい。

コンセッション方式のメリットは三つある。

一つめは、この方式はまさに民間企業の成長戦略になるということだ。空港や水道の運営がわかりやすい例だが、国や地方公共団体はこれまで公的な事業を独占し、民間の参入を排除してきた。それを民間に開放し運営を任せるのだから、コンセッションは民間企業に成長機会を与えることになり、経済の成長戦略になる。

二つめは、公務員にはない民間の視点が経営に入るということだ。民間企業に新しいアイディア、柔軟なアイディアを出してもらうほうが、明らかに公的なサービスは向上すると考えられる。

　三つめは、コンセッションによって国や地方公共団体に財政資金が入ってくることだ。空港や水道事業など、キャッシュフロー（料金収入など）を生むインフラを運営することには、経済的な価値がある。したがって、民間が対価を払って運営権を購入すれば、国や地方公共団体にはその売却金が入ってくる。政府は財政資金を確保することになり、それを他のインフラ整備に使うことができる。また、いままでその事業の赤字補填に使っていた税金を、別の用途に使えるようになるかもしれない。

　コンセッション導入で有名な国が、オーストラリアだ。オーストラリアでは、主要な飛行場はすべてコンセッション方式で運営されている。ヨーロッパでも、水道事業、空港事業などでコンセッション方式が様々なケースで採用されている。運営権だけでなく所有権そのものを民間に売っている国もある。コンセッション方式を中心に、民間が資本をリサイクルして活用するという、新たな時代が到来している。

コンセッション採用に立ち遅れた日本

しかし、日本では、コンセッション方式はほとんど採用されてこなかった*。背景には、日本では公的な部門が非常に強い、つまり官の力が強いという要因がある。官は一度取り込んだ仕事をよほどのことがない限り手離すことはない。もう一つの要因は、日本国民の多くが公的部門に対してそれなりの高い信頼性を抱いており、一方で株式会社悪者論が一部で根強いことだ。人々は、公共性の高い事業を民間に委託すると、住民の利益よりも企業の利益を優先させるのではないかと考えがちだ。郵政民営化のときがそうだった。民間に任せたら、利益の出ない郵便局はすべて閉鎖してしまうのではないかと、多くの反対意見があった。わかりやすいといえばわかりやすい例である。

コンセッションのねらいは、公的な役割をしっかりとした枠組みの下で民間に担わせることである。実は私たちのまわりには、民間が公的役割を担っている例は数多くある。

教育は明らかに公的なものだが、私立学校がある。ライフラインである電気、ガスなども公的な事業だが、東京電力や関西電力などの民間企業が事業を行って

*コンセッションに関する政府の動き

1999年、小渕内閣のときに「民間資金等の活用による公共施設等の整備等の促進に関する法律」が交付された。PFI法(PFI=private finance initiative)と呼ばれる。

同法は民主党政権下の2011年に改正法が公布され、対象施設が拡大された。

2013年には安倍内閣のもと、「民間の能力を活用した国管理空港等の運営等に関する法律」が制定された。

また、2018年のPFI法の改正では、国の支援機能の強化などが盛り込まれた。

政府は、PPP/PFI

いる。鉄道事業では私鉄が数多く存在する。この例からわかるように、公的なことはすべて政府がやるべきで民間企業に任せるのは危険だ、という考え方は成り立たない。水道事業を民間に運営させて毒でも入れられたらどうするのだ、という奇妙な意見があった。このことを小泉元首相に話したら、薬やエビアンなどの飲料水はどうするのか、製造工程で悪意のある者が潜入すれば毒を入れることは可能だ。民間だから十分な管理ができないという発想はナンセンスだ、と話されていた。

民間に公共性の高い事業の運営権を売却して、経営を担ってもらう。民間企業は得た収入でインフラをいっそう充実したものにしていく。キャッシュフローを伴うインフラの運営なら可能だ。これこそ資本のリサイクルである。

この考え方を、最初に法律にしたのは、民主党政権だった。筆者らは、民主党政権の唯一最大の成果だと思っている。実は、当時、国土交通大臣だった前原氏に、数は少ないが日本にいるコンセッションの専門家に会ってもらった。前原氏に海外の事情を説明し、日本でも実施することを勧めた経緯がある。その結果、民主党政権下でコンセッションに関する法律が成立した。ところが、前原氏が大

の推進により、2013年度から2022年度の10年間で21兆円規模の成長戦略を掲げている（コンセッション事業は7兆円規模）。PPP（public private partner）は、公と民が連携して公共サービスの提供を行うスキーム。PFIは、PPPの代表的な手法の一つ。

臣を降りると、役人たちは自分の領域を手放したくないためか、コンセッションの話はどこかに消えてしまった。

安倍内閣になってから、コンセッションは国の成長戦略に位置づけられ、積極的な展開が見られるようになる。経験のない分野のため、いくつかのプロジェクトを立ち上げ、成功事例をつくることからコンセッションは開始された。その結果、関西空港や仙台空港などいくつかの成功事例が出てきている。今後、この成功事例をいかにマクロに展開していくかということこそ、残された日本の宿題である。

港湾運営で世界企業に成長したAPMターミナルズ

コンセッションによるメリットは三つあると述べた。そのことを具体的な例で説明しよう。

APMターミナルズ*という会社がある。APMターミナルズは世界的な海運企業のA・P・モラー・マースク社が2001年に設立した会社だ。もともと1904年に設立された親会社のマースクはデンマークの海運会社である。マー

APMターミナルズ
2001年デンマークの首都コペンハーゲンに本拠を置く海運コングロマリットA・P・モラー・マースクグループ内の独立したターミナル運営会社として設立された。2004年に本社をオランダのデン・ハーグに移転。

スクはAPMターミナルズを設立し港湾の運営を始める。港湾は公的なインフラで、その所有権は国が持っている。その運営権を任されたAPMターミナルズはノウハウを蓄積して、いまでは世界で70以上の港湾施設の運営を行っている。日本にはそのような会社は1社もない。答えは簡単だ。日本の港湾は、基本的に公的部門によって管理・運営されているからである。日本の民間企業には国内で施設の運営ができないのだから、海外でできるわけはない。明らかに民間の成長機会を阻害している例である。

利用客増の関西国際空港・東北の拠点空港となった仙台空港

三つのメリットの2番目に挙げたサービスのクオリティーがよくなる例の第1号は、関西国際空港である。厳密にいうと他のコンセッションと関西国際空港の例は少し異なる。コンセッションは、効果的な資本のリサイクルが目的だが、関西空港の場合は特別で、抱えていた巨額の赤字をなくすために民間の力を活用しようというねらいから始まっている。

1994年に開港された関西国際空港は、国・地方公共団体・民間の共同出資による特殊会社により建設され、設置・管理されていたが、2012年からは政府全額出資の特殊会社が設置・運営するようになった。しかし、膨らむ赤字を解消するため、政府は所有権を国に残したまま、運営権を2016年に民間に売却した。運営権を獲得したのは関西エアポート株式会社である。

関西エアポートの大株主は、日本のオリックスとフランスの空港運営会社ヴァンシ・エアポートである。ヴァンシ・エアポートは1995年のカンボジアの2空港の運営権の取得を皮切りに、その後フランス、ポルトガルなど数か国の主要空港の運営に携わってきた実績のある会社だ。オリックスとヴァンシ・エアポートが共同で運営を開始してから関西国際空港の利用者数は飛躍的に増加した。2014年当時約2000万人だった利用者は2018年には約3000万人となり、1000万人の利用者増をもたらした。きっかけは格安航空会社LCCの誘致と民間ならではのユニークなアイディアを導入した運営である。まさに民間の知恵が活かされた結果といえる。

アイディアの一つは、航空機のターミナルでの駐機の仕方を変えたことだ。一般の空港でよくみかける光景だが、航空機はターミナルに対して頭の方を向けて垂直に駐機している。乗客はターミナルと航空機の搭乗口を結ぶボーディングブリッジを通って航空機に乗り込む。搭乗後、航空機はターミナル側にいるトーイング・カーという特殊な車に押し出されて滑走路に向かう。航空機とトーイングカーを繋ぐ機器はトーバーと呼ばれる。航空機はバックできないわけではないが、後方が見えないので危険なためバックはしない。そのためにこの仕組みが採用されている。しかし、このトーイングカーは特殊な車であり、かなり高額である。そこで、経費を削減するため、関西国際空港ではこのトーイングカーを使わない方法が用いられている。自走式という方法で、駐機場を旋回するように進入し、ターミナルに向かって斜めに駐機するのである。この方法は茨城空港でも採用されている。

もう一つのアイディアは、セキュリティチェックの流れを改善したことである。空港のセキュリティチェックは、トレーに自分の持ち物を入れ、そのトレーをベルトコンベアのレーンに載せる。その後ボディチェックを受け、チェック終了となる。この作業は並んでいる順番に一人ひとり行われるため、スムーズな対応をしない乗客が一人でも前にいると流れが滞り、混雑の要因となる。素早くチェックができるようにと、関西国際空港は2016年にLCC専用の第2ターミナル（国際線）に「スマートセキュリティ」システムを導入した。通常の空港のレーンは長さが7メートルであるのに対し、スマートレーンは17メートルある。これにより、一度に4人の乗客が同時にレーンを使用できるようになり、待ち時間の短縮を実現した。関西国際空港はこのほかにもボディスキャナーを設けるなど、様々なアイディアを導入している。

同じように、仙台空港も2016年7月からコンセッション方式で運営されている。東京急行電鉄・前田建設工業・豊田通商などが出資する会社が運営を担う。東急は、青森、秋田、山形から仙台空港に直行で行ける新たなバス路線を設けた。これらの県にも空港はあるが、明らかに仙台空港のほうが便数も行く先も多い。その結果、仙台空港を利用する人が増え、宮城県の空港だった仙台空港は今や東北地方の拠点空港へと変貌した。

しかし、運営のすべてがスムーズにいったわけではない。実際に空港を運営するにあたっていくつかの課題に直面した。一つの例が管制塔や滑走路の管理である。空港の運営を引き受けても、民間企業には管制塔や滑走路の管理ができる人材は一人もいない。それらの業務については公務員だけが担当してきたわけだから、民間に経験者がいるわけはない。当面公務員に出向してもらうのが一番だが、法律で公務員は特定企業のために勤務することはできない。そこで、法律の一部を改正して、公務員を期限付きで退職派遣させる制度を設けた。これにより公務員の専門的ノウハウが活用できるようになった。退職派遣期間が終了すれば、派遣された人たちは公務員に復帰することができる。

民間の活力を真に生かすには、このような細部の制度改正が欠かせない。残念ながらこうした問題がメディアで話題にされることはまずない。

コンセッションにより財務状況を改善

空港などのインフラの建設には多額の工事費を要する。関西国際空港がいい例だが、同空港は膨大な赤字を抱えていた。その赤字を補填するために、政府は国庫から年間最高で100億円ほどの補助金を出していた時期がある。ところが、民間が運営するようになって収益力が向上し、現在では黒字を計上し税金を納めるまでになっている。税金を100億円食っていた空港が、税金を納めるようになったのである。すでに、運営権を売却したときに国庫には売却金が入っている。その金も含めると、コンセッションは財政面で多大な貢献をしていることになる。コンセッション方式が、空港で成功事例を出したのをきっかけに、現在、国管理の福岡空港、高松空港、千歳空港などがコンセッションに向けて動いている。今後、コンセッション方式はさらに広がっていくと考えられる。

コンセッションの例としてユニークなのは、2016年度末で廃止となった旧奈良少年刑務所を、ホテルとして運営するという事業だ。同刑務所の前身は奈良監獄であり、1908年竣工の美しい煉瓦建築の建物である。コンセッションは、その建物の保存と活用を目的としている。

刑務所をホテルとして活用した例は既にある。イギリスのオックスフォードにあるマルメゾン・オックスフォードだ。ビクトリア様式の歴史的建物を利用したブティックホテルである。そこに泊まったことがあるが、なぜか不思議な気持ちになる。しかし、名物ホテルとして人気が高い。

水道事業にコンセッションを採用し、世界市場へ進出する

コンセッションの成功事例が出てくるようになると、水道事業にコンセッション方式を取り入れる動きが出てきた。日本の水道事業は、水道施設の老朽化、事業を担う人材の不足、人口減少による水道料金の減少と、大きな課題を抱えている。この現状を打開する目的で、２０１８年12月に、コンセッション方式が導入しやすくなる改正水道法が公布された。これに対して、水道料金の値上がりや水質維持などの観点から、生活の源泉といえる水道を民間に任せて大丈夫かという反対意見も多い*。しかし、コンセッション方式は運営権を売却するのであって完全に民営化するということではない。市町村が水道を経営し、責任を持って水を供給するという原則は変わらない。水道の基盤強化のために官民で連携しようという趣旨である。

水道のコンセッションは海外では先行しているが、失敗例もある。水道料金の高騰、水質低下、異物の混入などを引き起こし、再公営化されたり、民間企業に対して事業撤退を要求した結果、違約金を請求されたりしている。しかし、一方で、早くから「民営化」に取り組んできたフランスのように、公設のチェック機関が運営企業を監視するなどして成功している事例も多い。コンセッション方式

民間による水道の運営
長野県茅野市近くにある東急リゾートタウン蓼科は、自治体に頼ることなく、独自に上水道を完備・運営している。近くを流れる滝の湯川の支流から取水し、ろ過・滅菌した水をタウン全体に供給している。

を採用するうえで、事業を広域的に行える環境の整備や企業の活動を常に監視・チェックする体制の整備が重要になる。

要するに、コンセッションなど民の活力導入が善か悪かではなく、どのようにその活力を活かすべきか、建設的な議論を進めることが求められている。

世界のインフラ需要のうち水分野は全体の30％強を占める。水ビジネス市場の規模は、２０２０年には１００兆円を超えると予測されている。世界の水ビジネス市場を押さえているのが、フランスのスエズ、ヴェオリアなど、水メジャーと呼ばれる上下水道事業を扱う国際的な巨大企業である。これらの企業はヨーロッパ、南アメリカ、東南アジアなどで積極的に事業展開をし、成功を収めている。

いっぽう、海外の水ビジネス市場での日本企業のシェアは１％にも満たない。日本の優位性のある技術・ノウハウを活用すれば、シェアの拡大は十分可能である。例えば、高い技術力を持つ東京都の水道局を切り離して、運営を企業に任せたとする。運営権を獲得した企業は、そのノウハウを持って海外に進出していけば、まさに成長戦略になる。

余談だが、日本の水道の漏水率は世界一低いと言われている。このことをスエズやヴェオリアの関係者に話したことがある。彼らは「So What ?」と尋ね返してきた。「漏水率が低いとなぜいいのか？　漏水率を5パーセントから1パーセントに下げるのに、どれだけのお金がかかると思っているのだ」と。そのお金を別の部門で活用し、水道料金を下げる方が、費用対効果は最大になるというのが、消費者利益をより重視する彼らの哲学である。

コンセッションで林業は蘇る

林業*もまた、コンセッションを活用しうる分野として注目されている。

日本の林業はいま、成長産業となりつつある。これまで日本は、国産材に比べ価格の安い外材の輸入に木材需要を頼ってきた。しかし、近年、需要動向に変化が見られるようになった。日本の木材自給率は1960年代以降、低下し続け、2002年には18・8％まで落ち込んだ。しかし、それ以降は上昇を続け、2017年には36・1％まで回復している。背景には、外材との価格差の縮小、住宅用として国産材を使う動きが増えてきたこと、間伐材や製材廃材などを利用するバイオマス発電など新しい用途が登場してきたことなどがあげられる。いま、

日本の林業従事者
日本の林業従事者は減少の一途をたどっている。1960年に約44万人いた林業従事者は、25年後の1985年には12万6000人にまで減少、2015年には4万5000人にまで減少した。半世紀の間に約40万人の減少である。戦後、木材需要の増大に対応するため、天然林の伐採、それに伴う人工造林の拡大が進められた。木材の需要は拡大を続けたが、1965年以降、輸入が自由化された外材に国産材はとって代わられるようになった。

1960年代に集中して植林した人工林が、伐採時期を迎えており、国産材の将来性は高い。

ここにコンセッション的な考え方が適用できないだろうか。国有林の一定の区域を継続的に使用できる権利を民間に与え、民間企業は長期的、かつ大規模に木材の伐採・販売を行えるようにする仕組みである。

コンセッションこそ財政再建の切り札

日本の宿題の一つとして財政再建がある。

国も地方公共団体も財政再建を達成するためには、このコンセッション方式を積極活用することを避けて通れなくなるだろう。また、学校の耐震化、防災インフラの強化・増設など、重要インフラに対する需要が今後減少することはあり得ない。それらの資金をどこから捻出するのか。コンセッション方式が唯一の決め手となると考えられる。

各自治体は、キャッシュフローを生むインフラを数多く所有している。それらのインフラは、将来も確実にキャッシュフローを生み出す。その運営権を民間に売却する。例えば、地方公共団体が所有している水族館、図書館などの文化施設は確実にキャッシュフローを生み出す資産である。

今後、コンセッションを推進するうえでそのルールづくりが重要になってくる。極端な意見かもしれないが、コンセッションに積極的でない自治体には交付税を減らすなどの措置をとってもいいと思う。経済財政諮問会議が、人口20万人以上の都市はコンセッションを進めるようにと掛け声をかけてはいるが、まだ積極的に対応しようとする都市は少ない。

もう一つ大事なことは、地元企業優先という従来の発想を変えることだ。ある空港のコンセッションでは、地域の事情をよくわかっている地元企業や自治体を選ぶべきだという議論が起きた。しかし、過去の第三セクター設置による事業がうまく行っていない事例から考えても、単に地元の企業だから優先するというのは好ましいことではない。民間と国が、または民間と地方自治体の両者が参加して設置された第三セクター企業の多くは、ガバナンスが機能しなくなり、非常に非効率的な経営で赤字を抱えているところが多い。地元企業や自治体を優先するという発想は捨て、条件を提示して、それもかなり厳しい内容の条件を提示して、それに応えられる企業に運営権を売却すればよい。条件が厳しければ厳しいほど、運営権の売却価格が下がる可能性はあるが、そこは政策判断とすればいい問題である。

人口20万人以上の都市については、一定以上のコンセッションを義務付けるべきだ。そうなればマーケットは成長し、インフラ事業への投資を専門とするインフラファンドが出てくるようになる。典型的な例がオーストラリアである。1990年代初頭からの景気後退で厳しい財政状況にあったオーストラリアは、コンセッション方式で積極的にインフラ整備を進めた。グローバルな金融サービスを展開するマッコーリーという有名なファンドはその流れに乗り、インフラ部門では、イギリス、インド、中国など世界数十か国で、交通インフラの整備、水道事業などを手掛けている。一つのきっかけから好循環が生まれた例である。

ペイ・フォー・サクセス

さらに、コンセッション方式を、インフラ部門だけではなく、その延長として別のサービスにも活用できないかという視点から出てきたのが、ペイ・フォー・

サクセス（Pay for Success）という考え方である。

例えば、ある市が社会保険でかなりの予算を使っているが、なかなか成果が上がらない。そこで、社会保険事業に民間の活力を導入する。民間企業には、事業費の一部を公費負担するだけでなく、例えば糖尿病なら糖尿病の患者数を何パーセント減らしてくれれば、それ相応の報酬を支払う契約をする。これがペイ・フォー・サクセスである。

これまで、このような政策を担当する部署は日本政府にはなかったが、2019年度から内閣府に設置することが決まった。ペイ・フォー・サクセスの担当部署ができれば、そこを活用し、公共的なサービスを民間の活力で行う余地が広がるだろう。公共的なサービスの効率性は高まり、住民サービスも向上し、財政負担も軽減できるようになると考える。ペイ・フォー・サクセスの考え方を定着させ、拡大していくことが非常に重要になってきている。

ペイ・フォー・サクセスとの関連で、ソーシャル・インパクト・ボンド（Social Impact Bond＝SIB）の話題がしばしば出される。自治体などが行う社会事業を企業などに任せ、民間から事業資金を調達する。企業がより高い成果を実現した場合は、資金提供者に成功報酬が支払われる。「社会的な高い成果」と「経済的な収益」を同時に実現する手法である。

例えば、某企業がある市から、糖尿病患者数を減らすプロジェクトを請け負ったとしよう。成功すれば報酬を受け取れるが、成功するかどうかはやってみなければわからない。また、そのプロジェクトを進めるための資金も自分で負担しなければならない。そこで、幅広く資金調達をするために出す債権がソーシャル・インパクト・ボンドである。ビジネスは、うまくいくかいかないかは常にわからない。それに対して資金を提供し、うまくいけば市から配当が出る。これはまさにリスクを負った投資である。そういう新しいマーケットが登場してきているのだ。

これまで日本では、公的なものは政府や地方自治体が、私的なものは民間が行うという棲み分けがあった。しかし、公的なものも実態に応じて官ではなく民が行えるようにする。このような考え方を政策に入れていくことが、今後の日本の宿題として、大変重要になってくると考えられる。

提言

一、コンセッションの個別成功事例（関西空港や仙台空港）をマクロに拡張し、幅広い分野・地域でこれを実施する。

二、とりわけ、当面、水道、林業などの分野を重視する。

三、コンセッションを財政健全化の重要な手段として位置づける。

シェアリング・エコノミーを推進する

シェアリング・エコノミーとはなにか

総務省によれば、シェアリングとは「個人が保有する遊休資産（スキルのような無形のものも含む）の貸し出しを仲介するサービス」（平成27年版『情報通信白書』）である。貸し手は自分が所有しているがとりあえずは使っていない資産（遊休資産）を活用することによって収入を得ることができ、借り手は資産を所有することなく使いたいときに利用できるということで双方にメリットがあるとされている。簡単に言えば、シェアリング・エコノミーとは、個人や企業が所有する資産をインターネット上のマッチングプラットフォームを介して他の人に利用してもらう経済活動のことである。

シェアリング・エコノミーとしてよく知られているのは、個人や企業が保有する住宅や物件を宿泊施設として登録して貸し出しができる、マッチングプラットフォームを提供するサービスだ。その代表的企業であるエアビーアンドビー（Airbnb）は２００８年８月に運用を開始し、現在では１９０を超える国・地域で、１５０万を超える物件が登録されている。また、アメリカのウーバー（Uber）や中国の滴滴《ディディ》は、スマートフォンやＧＰＳを駆使して移動希望者と個人ドライバーをマッチングするライドシェアサービスを提供している。

　シェアリング・エコノミーは２０１０年ころから急速に拡大し、２０１３年に１５０億ドルだった経済規模は、２０２５年には３３５０億ドルにまで拡大するとみられている[*]。

*シェアリング・エコノミーの経済規模　出典は、PwC「The sharing economy -sizing the revenue opportunity」

シェアリング・エコノミーの時代へ

　急拡大するシェアリング・エコノミーに対して日本社会はうまく対応していると言えるだろうか？　残念ながら答えは「否」である。大まかに言えば、日本の現行制度や現行法はシェアリング・エコノミーに即したものではなく、むしろ強くブレーキをかけるようなものになっているからである。

現在の基本的な政治・社会制度や法体系は、私有財産制と市場経済を前提としてつくられている。個人は欲しいものを市場で購入し、それを独占的に所有し使用するというシステムである。例えば、自分で使うための自動車をディーラー経由で購入する。旅行先では、企業あるいは個人が所有するホテルや旅館に宿泊する。ほんの10年ほど前までは、それがきわめて当たり前のことであり、ほとんどの人がそれ以外の方法があるなどとは夢にも思わなかった。

しかし、平成時代の後半から状況は大きく変わった。個人が所有するものを独占的に使用するのではなく、個人（あるいは企業）が所有しているものを複数の人でシェアするようなケースが増えたのである。これがシェアリング・エコノミーの登場であり、農地・駐車場・会議室などの空間のシェア、カーシェアやライドシェアなどの移動シェア、家事代行や育児・介護などスキルのシェアが行われるようになった。

シェアリング・エコノミーが広まった理由

なぜ、多くの人がシェアリング・エコノミーを受け入れるようになったのだろうか。その理由は三つある。

第一に、モノやサービスに対する人々の考え方が変化したことである。かつて住宅や自動車は社会的なステイタスの象徴だった。貯蓄して自動車を買う。1971年にヒットした「隣の車が小さく見えます」というキャッチコピーは象徴的である。また、「住宅双六」と言われるように、学生時代は下宿、独身時代には賃貸アパート、結婚して公団住宅に住み、その後、住宅ローンを組んで分譲マンションを手に入れて、上がりは郊外の庭付き一戸建てを買うというのが当たり前の人生設計だった。しかし、いまやモノがあふれ、モノを持つことに対するイメージが変わった。モノが「持つ」から「使う」対象に変わったのである。

第二に、身の回りにモノがあふれ、利用していないモノあるいは効率的に利用されていないモノがあふれるようになったことである。人口減少の時代になり、空き家が大きな問題になっているように、いまや「家」が余っている。東京都内で保有されている乗用車は約316万台（2019年8月末現在）ある。しかし、誰もが毎日数時間も使用することはないため稼働率は低く、多くの自家用車は車庫で眠っている。その未利用・非効率という事実に人々は気づいたのである。

第三に、ＩＣＴ環境の整備とスマートフォン（スマホ）の高機能化が挙げられる。膨大なデータを瞬時に整理・活用できるようになり、仮想空間上で新しい市場が次々と誕生している。空き部屋や車庫で眠っている自動車を活用したいと思っている人と、ホテルや旅館ではないところに泊まってみたい人やオンデマンドで呼べる移動手段を求めている人を、容易にマッチングできるようになったのである。

前近代社会と近代社会の所有・利用構造

ところで、すべての社会の法律や制度は、その一つ前の時代の社会・経済状況を反映してつくり上げられたものである。一つ前の時代の経済状況が次の時代の政治・社会構造を規定しているといってもいいかもしれない。そして、その時代の社会が進化するにつれて、法律や制度との矛盾が明らかになってくる。つまり、法律や制度が時代遅れになる。

いま、まさにそのようなことが起きている。端的に言えば、現在の日本の法律や制度が、シェアリング・エコノミーの時代に合わなくなっている。具体的に説明しよう。

大まかに言うと、近代以前の社会では、道具や乗り物など様々なモノは個人が所有するのではなく、人々は自分が使いたいと思う道具や乗り物を持つ人から必要に応じて一時的に借りて利用していた。また、個人所有ではなくコミュニティが持つモノをその構成員が必要に応じて使うこともあった。日本ではコミュニティの構成員が共同で使う村落所有の入会地も多数存在していた。そのような共同所有・共同利用の背景にあるのは個人間の信頼関係だった。

しかし、私有財産制を基礎に成り立った近代社会では、道具や乗り物などほとんどすべてのモノが個人所有になった。貸し借りして共同で利用するということがなくなり、モノあるいはサービスを提供する側（事業者）とそのサービスを受ける側（消費者）という区分けが一般的な社会になったのである。そのような社会を支えるのは、個人の信頼関係ではなく、事業者の信用であり、それを国家が保証するという構造に変化した。

日本に限らず世界中どこでも、例えば、タクシー会社やバス会社が、事故を起こさずにきちんとしたサービスを提供し、それに乗れば行きたいところに到着して、不当なぼったくりをするようなことがない業者であるかどうかが重要なことだった。そのために国は、タクシードライバーには第二種免許の取得を義務付けた。また道路運送事業法を定め、信頼性を担保できない業者を排除するために参入規制を行った。ホテルや旅館などの宿泊施設については、人々が安全・安心かつ清潔なところに宿泊できるようにするために旅館業法を定めた。

その事業者がきちんとしたサービスを提供できるかどうか、質の高いサービスを提供できるかどうかを担保するために、言い方を変えれば、タクシーやホテルの利用者が快適に利用できるようにするために、国は様々な規制を定め、サービスの質を国の規定で保証したのである。

スマホでマッチングと「評価」

しかし今、世の中は激動している。第4次産業革命が起きつつある中で、その第一波としてシェアリング・エコノミーの波が押し寄せている。シェアリング・エコノミーの本質は、「近代以前の社会でなされていたモノ・サービスの貸借を、最先端の技術を使って復活させていること」と言える。かつての近代以前の社会でなされていた一時的な貸し借りが、スマホでできるようになった。家や自動車、様々な道具など、かつてであれば、たまたま自分の持ち物が使われていない状況の人がいて、一方でそれを使いたい人がいるという、狭いコミュニティの中でマッチングされていた。しかし、今では自分が空いているものをスマホで登録をし、それを使いたい人もスマホに登録し、それが自動的に大規模なマーケットの中でマッチングがなされる。

スマホの世界では、その事業の提供者がきちんとした質の高いサービスを提供できるかどうかを担保するための、個人間の信頼や政府の保証はほとんど役に立たない。それでは何が役に立つかといえば、サービスを提供する側と受ける側双方が評価することである。スマホでのマッチングを成り立たせる基盤は「評価」である。

前述のように、近代以前の社会での貸し借りを成り立たせる前提は個人間の信頼だった。「あの人に貸すと返ってこない」とか、「あの人から借りるものは劣悪なもので大変なめにあった」というようなことが口コミで伝わり、それが徐々に蓄積されて、個人間の信頼に基づく貸し借りが行われていた。それと同じようなことが、ビックデータを通して、今スマホの世界で行われている。

国の役割も当然変わらなくてはならない

ウーバー（Uber）でもエアビーアンドビー（Airbnb）でも、それぞれのサービスを利用した人がスマホを使って「評価」する。逆に、サービスを提供した側も受けた側を「評価」する。例えば、ウーバーであれば、乱暴な運転をしたり、顧客サービスの態度が悪かったりすると、悪い「評価」が付けられる。悪い「評価」が何度も付けられると、ウーバーを使って運転することができなくなる。エアビーアンドビーでも、宿泊サービスを提供する側と受ける側の双方が利用後に「評価」して、悪い「評価」が重なると、それぞれ利用できなくなる。要するに、前近代社会では口コミで長年にわたって蓄積されていたものが、スマホで一瞬にしてできるようになったのである。

このようにシェアリング・エコノミーの世界では、サービスの質が基本的には相互評価で保証されるようになった。したがって、国の役割も当然変わらなくてはならない——これが今まさに起きている課題であり、日本だけではなく多くの国でまだ十分な対応ができていない。要するに、シェアリング・エコノミーは、本質的には、近代社会から脱近代への変化を意味している。このため、近代社会の法体系との間で明らかに齟齬が生じているのだ。

エアビーアンドビー（Airbnb）になり損ねた人たち

ここで、シェアリング・エコノミーに対する旧来の規制の強さを象徴する事例を紹介したい。具体的に言えば、民泊に関する旅館業法による規制の事例である。

エアビーアンドビーの創業（２００８年）よりも6年も前の２００２年に、「アパートの空室の宿泊利用」のネット仲介事業を立ち上げようとした人がいた。インターネットで空き室を知らせ、近くのコンビニで鍵の受け渡しをするというビジネスモデルだった。現在は技術が進化し、スマホが鍵替わりになるが、当時はそのような技術がなかったためである。地域は千葉県のディズニーランド近くで、当時は宿泊施設が不足していたが、一方で浦安や行徳区域にはアパートの空室が数多くあった。その空き部屋を使わないのはもったいないということで、現地の不動産屋と近隣でコンビニの店舗を展開していた事業者が組んで、起業しようとしたのである。

その新しい試みに立ちはだかったのが旅館業法の壁だった。旅館業法では、宿泊設備を提供するのであれば、ホテルとしての許可を取らなければならない。そして、許可を取るためにはフロントが必要であり、部屋数が10室以上なければいけないなど、様々なルールが決められている。しかし、アパートの空いている部屋を宿泊施設に使おうという試みなので、もちろんフロントはない。その結果、許可が下りなかった。

そこで、旅館業法を運用・管理している千葉県の保健所に何度も足を運んで、ホテルの許可を取らずにできるぎりぎりのところを見いだした。例えば、シーツは部屋に置くのではなく、コンビニで鍵の受け渡しを行う時に一緒に渡すようにするとか、かなり煩雑な手続きが必要になり、結果として、限定的な事業でしかできず、事業を大きく展開することはできなかった。歴史に「if（もしも）」という話はないが、仮に当時、旅館業法の壁がもう少し低ければ、彼らがエアビーアンドビー（Airbnb）のような世界的企業になっていたかもしれないと思っている。

日本では「官」の力が強すぎる

実はホテルに関しては、日本だけではなく世界でも同じような規制がある。民泊サービスやホームシェアのサービスが出てくると、ホテル業界が自らの利権を守るためにロビイング活動をして、日本の旅館業法のような規制に基づいてストップをかけるのである。しかも、日本の場合は、諸外国に比べて役所の力が強く、規制が特に厳しい。その結果として、日本ではシェアリング・エコノミーへの対応が大幅に遅れた。

日本では、何かをしようと思えば、必ずといっていいほど役所にお伺いを立てる。そういう文化がはびこっている。実は、1990年代からずっと言われてきた日本政府の課題は、「事前規制型から事後チェック型の行政」への転換だった。「事前規制型」とは、まさに何かを行う時にいちいち役所にお伺いを立てるということである。もちろん、これは決して日本固有のものではないが、日本ではとりわけ強かった。

なぜ役所の力が強いのか。それは歴史的にさかのぼれば、明治時代から役所が中心になって国を運営してきたからである。また、終戦直後から高度成長期にかけては、役所が主導して経済を運営してきた面があった。さらに言えば、役所がエリートコースになっていたので、戦後の一定の時期まではほとんどの総理大臣は役所出身者だった。そのようなことから、政府（政）・官僚（官）・民間（民）という三者で考えたときに、「民」との関係でも「官」が強く、「政」との関係でも「官」が強いという構造がずっと続いてきた。

話を戻すと、シェアリング・エコノミーに関しても、日本ではいちいち役所にお伺いを立てないと物事が進まず、役所は新しいサービスが出るとストップをかけるということがなされがちだった。しかし、アメリカではそういう状況にはなく、法的に「グレー」であっても、新しいことを認める風土があり、結果としてAirbnbが成功したわけである。

民泊解禁とはいうものの実態は？

日本では「国家戦略特区」という地域限定での規制改革の仕組みで、アパートなどの空き部屋を宿泊施設用に利用できるようにしようという議論が行われた。その結果、２０１３年に法制度ができ、２０１５年から大田区と大阪府で民泊が行われるようになった。しかし、既存の旅館業界からの強い抵抗があって、短期の宿泊は認められず、六泊七日以上というルールになった。一方、民泊を運営する側にとっては、六泊七日以上では長期滞在者しか利用できないので使い勝手が悪すぎる。そこで、２０１６年から二泊三日以上に条件が緩められたが、それでも一泊二日はできないルールになっている。

さらに、２０１７年に「住宅宿泊事業法（民泊新法）」が制定され、２０１８年６月から特区以外の全国どこでも民泊が行うことができるようになった。しかし、実態は全面解禁とは程遠いと言わざるを得ない。なぜなら、全国での民泊解禁のルールとして、年間１８０日という上限を設け、なおかつ、地域によっては、例えば１８０日ではなく30日以内にするとか、月曜日から金曜日までは民泊ができないことにするなど、条例でさらに限定をかけることができるようになっているからである。

特区では六泊七日（その後、二泊三日）という下限を設けてそれよりも短い宿泊には使うことを禁止する一方で、民泊新法では１８０日（条例でそれよりも短くすることが可能）という上限を設ける。これは、いったいどのような根拠があってのことなのだろうか。類推するに、ロジックは何もなく、ただ単に民泊をやりづらくするためだろう。

つまり、民泊はいちおう解禁したという形になっているものの、実態はできるだけ民泊をできないようにする。そういう「官」の下心が透けて見える。結果として、2018年6月の民泊解禁に際しては大混乱が生じた。これまで良質な民泊として、グレーだけれども実際に運営していた人たちが、短期間しか運営できないのであれば部屋の提供を止める、というようなことも起きたのである。

自家用自動車による有償運送は認められていない

ライドシェアとは、個人（あるいは法人）が所有する自家用車を使って、不特定の人の移動を有償で行うサービスのことである。アメリカのウーバー、中国の滴滴をはじめとしてアジアや中東諸国などでもサービス事業者が続々と誕生している。リサーチステーション合同会社によれば、ライドシェアの世界市場は2018年には613億ドル（約7兆円）であり、2025年には20兆円規模に拡大すると見込まれている。

しかし日本では、道路運送法78条（自家用自動車による有償運送）に、「自家用自動車（事業用自動車以外の自動車）は、有償で運送の用に供してはならない」と規定され、基本的にはライドシェアは認められていない。ただし、三つの場合に例外が認められている。

すなわち、①災害のため緊急を要するとき、②市町村や特定非営利活動法人などが、過疎地などの住民の運送を行うとき、③公共の福祉を確保するためやむを得ない場合に地域または期間を限定して運送を行うとき、である。

国家戦略特区を活用した自家用車有償運送サービス

ここで注目したいのは、②のケースである。タクシーやバスなどの移動のための輸送機関がない過疎地域では、住民同士での助け合いという枠組みで有償でのライドシェアが認められている。一方、最近ニーズが高まっているのは、外国人観光客のためのライドシェアで、それは「住民同士の助け合い」という範疇からは逸脱する。したがって、認められないということになる。しかし、タクシーやバスの便の悪い地域を訪れる外国人観光客も増えているので、そういう地域では「住民同士の助け合い」の範疇を超えてライドシェアを認めてもいいのではないかというような議論が行われるようになった。

実は、政府は、地域や分野を限定して大胆な規制・制度の緩和や税制面での優遇を行う「国家戦略特区」を2013年に制定している。2015年には、安倍晋三首相が「過疎地などでの観光客の交通手段として自家用車の活用を拡大する」という趣旨の発言を行い、2016年には自家用有償運送の主な運送対象として、特区では訪日外国人をはじめとする観光客が盛り込まれた。ただし、実施主体は個人ではなく市町村や特定非営利活動法人で、運転者は二種免許または大臣認定講習を必要としている。

養父市の国家戦略特区ライドシェア事業「やぶくる」

2018年5月には、この特区制度を活用した初の事業として、兵庫県養父市で地元住民の自家用車を用いた有償ライドシェアが始まった。市内タクシー事業者やバス事業者、観光関連団体、地域自治組織らが「NPO法人マイカー運送ネットワーク」を設立し、「やぶくる」の名称で、タクシー事業者が対応困難な地域で登録ドライバーによる短距離輸送を行っている。ちなみに、「タクシー事業者が対応困難」というのは、ある客を乗せた目的地からの帰りの客が見込めない場合には赤字になってしまうため、タクシーを出すことはできないというケースなどである。

広瀬栄・養父市長によれば、国家戦略特区制度を活用したライドシェア事業が実現するまでの道のりは非常に険しいものだった。まず、ライドシェアの特区申請を行った翌日には、全国タクシー業界や関西タクシー業界のトップたちが養父市役所を訪ねてきたという。ライドシェア事業を「思いとどまらせる」ことが目的だった。タクシー業界は過疎地へのタクシー運行を行うような会社を設立すると言い、それができるならぜひお願いしたいと答えたが、それきりなしのつぶてだった。しかし、幸いなことに、地元のタクシー会社がライドシェア事業に好意的で、結果として、「やぶくる」の事務所はタクシー会社の本社内に置き、サービスを始めることができたという。

なぜ営利企業には認められないのか

さて、いま部分的になされているライドシェアの仕組みについては、二つの制約がある。一つは、過疎地などで移動手段がなくなっている場所でしかできないということ。もう一つは、自治体やＮＰＯしかできないという運営主体の制限だ。営利企業には認められないのである。

なぜ、営利企業には認められないのだろうか。ライドシェアに限ったことではないが、「営利企業はダメ」という話は様々なケースで出てくる。先にも述べた「株式会社悪者論」である。営利を目的としないＮＰＯであればいいが、株式会社には許さないということである。

ライドシェアを議論する規制改革の会議や国家戦略特区での会議の中で必ず出てくるのは、安全性の問題である。いわば素人が運転するので、安全性の問題に最大の配慮をしないと認めるわけにはいかないという。まったくその通りである。しかし、安全性についての議論をするときにＮＰＯか営利企業かはほとんど関係ない。ＮＰＯであれば安全かといえば、決してそうとは言えない。むしろ、万一、何らかの事故などが起きたときには、財政難に陥っている自治体やＮＰＯが運営するよりも、資金力のある企業がサービスを提供したほうがよい。

なぜ、営利企業によるライドシェアを認めないのか。それは、営利企業が行うと、ライドシェアが本格的に広がってしまうからである。例えば、ウーバーが認められると、既存のタクシー会社が大きな打撃を受けることは必至であり、だから絶対に認められないということだ。タクシーの相乗りを認めるという動きもあるが、ライドシェアを認めない代替案に過ぎず、シェアエコノミーへの日本の対応を遅らせているだけである。

ドバイは既得権を守りながら解禁している

ヨーロッパでは、日本と同様タクシーが守られているが、アジアの国々ではライドシェアが進んでいる。また、アメリカやカナダの空港では、タクシー標識の代わりに、ライドシェア・アプリの標識があり、そこに行くとライドシェアの車が待っているように、すでにライドシェアが当たり前になっている。このように世界中で当たり前に普及してきている中で、日本は既得権を守ろうとするタクシー会社が役所と一体になって、従来の体系を強固に守ってきた。

中東のドバイは基本的に国王がルールを決めることができるため、ライドシェアは解禁されている。しかし、ライドシェアはタクシーよりも高級なサービスで、一定の免許を持ってる人しか運転できず、料金はタクシーよりも約３割高い、というように部分的な解禁にとどまっている。
ドバイは空飛ぶドローンタクシーの実用化を試みるなど、最先端技術を導入しているる国である。新しい技術や新しいベンチャーを呼び寄せることができるようなドバイで、なぜライドシェアを完全に認めてないのか。それは、タクシー会社も国の財政に貢献しているので、無碍に倒産させるわけにはいかないからである。利害調整をして、一定程度以上の高級なライドシェアだけを認めるという裁定をしたのである。

要するに、既得権を守るということを素直に認めて、利害調整をし、ルール設定をしているので、問題は解決している。それに対して日本では、既得権を守るということを表面上は出さず、安全を守るためだという建前論だけで議論する。国民が事故に遭ったらどうするのかという議論ばかりする。そういう捻れた議論ばかり何年も繰り返しているので、新しい課題への規制対応が遅れているのである。

先にも述べたように、ライドシェアは近年の世界で最も注目される成長産業だ。そこに一歩たりとも参入させまいとするタクシー業界と、それと一体化した官僚の責任は極めて大きい。また、既得権益に切り込めない政治の責任も大きなものがある。

提言

一、第４次産業革命が進行する世界の現状を正面から受け入れ、民泊やライドシェアの活用をはじめ、新たな社会システムに対応した本格的な規制改革を進める。

二、例えば、ライドシェアに関して、安全を守るといったごまかしの建前論ではなく、既得権益の保護を素直に認めたうえで必要な調整を行う。

経済の新陳代謝を高める─総理主導の規制改革─

日本企業の労働生産性は低い

第2次安倍政権になって、アベノミクスの「3本の矢」のうち、第1の矢（金融緩和）と第2の矢（財政出動）は飛んで、比較的短期間に成果を出した。しかし、第3の矢（成長戦略）はなかなか飛ばないと言われ続けた。イエール大学名誉教授でアベノミクスの強力なサポーターである浜田宏一氏は、2013年（当時・内閣官房参与）、中央大学で行われた講演の中で、3本の矢を大学の通知表になぞらって採点すると「金融緩和はAプラス、財政政策はB、成長戦略の第3の矢はE、トータルでABE（あべ）」であると述べている。

日本経済の成長力を高めるために求められる最大のポイントは、企業の生産性を高めることだ。

図３：OECD加盟国の労働生産性（一人当たり）

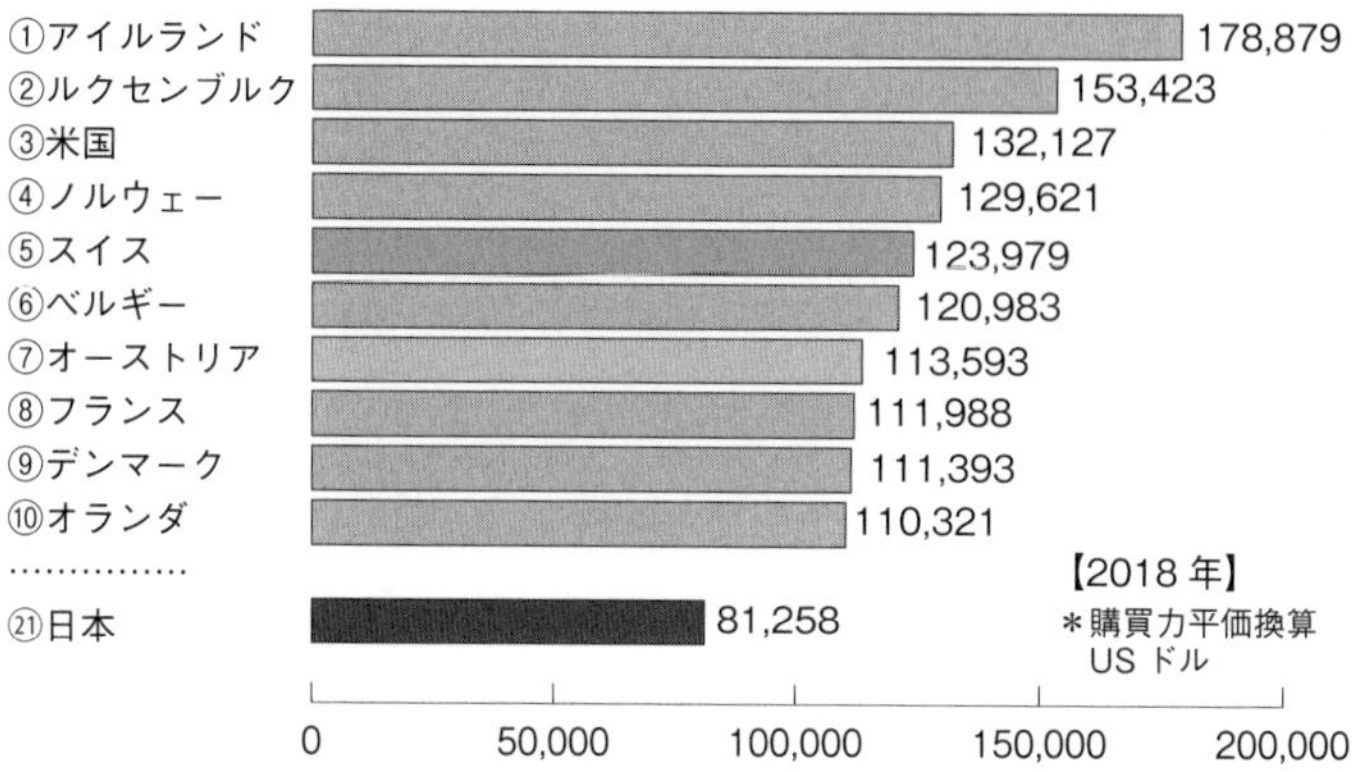

【出典：OECDのデータをもとに日本生産性本部作成】

日本の生産性の低さは、世界の主要な先進国と比較するとそれは明らかだ。日本の生産性はアメリカやヨーロッパ諸国よりも低いばかりか、OECDの平均よりも低い水準にある。日本経済の今後の成長を考えた時、中長期的に成長軌道に乗せていくためには、生産性を高めなければいけない。

一国の経済規模は「人口×生産性」で決まる。そして、日本の人口は減少傾向にある。ということは、日本の経済成長にとって生産性上昇がきわめて重要であり、生産性が低迷しているという状態は、日本経済にとって危機的なのである。

日本人にベンチャー精神が欠落しているのではない

なぜ、日本企業の生産性はこれほどまでに低迷してしまったのだろうか。

その理由としてよく言われるのが、日本人にはベンチャー精神が欠けているという指摘である。アメリカ人はベンチャー精神が旺盛で、若い人たちがベンチャー企業を立ち上げて、それを後押しするような制度や文化もあるのに対して、日本人はベンチャー精神を欠いていて、サラリーマン根性的な仕事をしている人たちが多い。つまり、日本人のベンチャー精神欠如は、文化的な要因だという主張だ。

しかし、これは説得力のない議論だ。70～80年ほど歴史をさかのぼれば、ホンダやトヨタなどの新しいベンチャー企業が生まれ、大きく成長して、世界に進出をしていった時代があったことがわかる。また、一橋大学名誉教授（法政大学教授）の米倉誠一郎氏によれば、我々日本人は世界中の国民と同様、創造的であり、イノベーティブな可能性を持っている。つまり、日本人は決してベンチャー精神が欠如しているわけではないということである。（『イノベーターたちの日本史：近代

図４：企業の開業率の国際比較

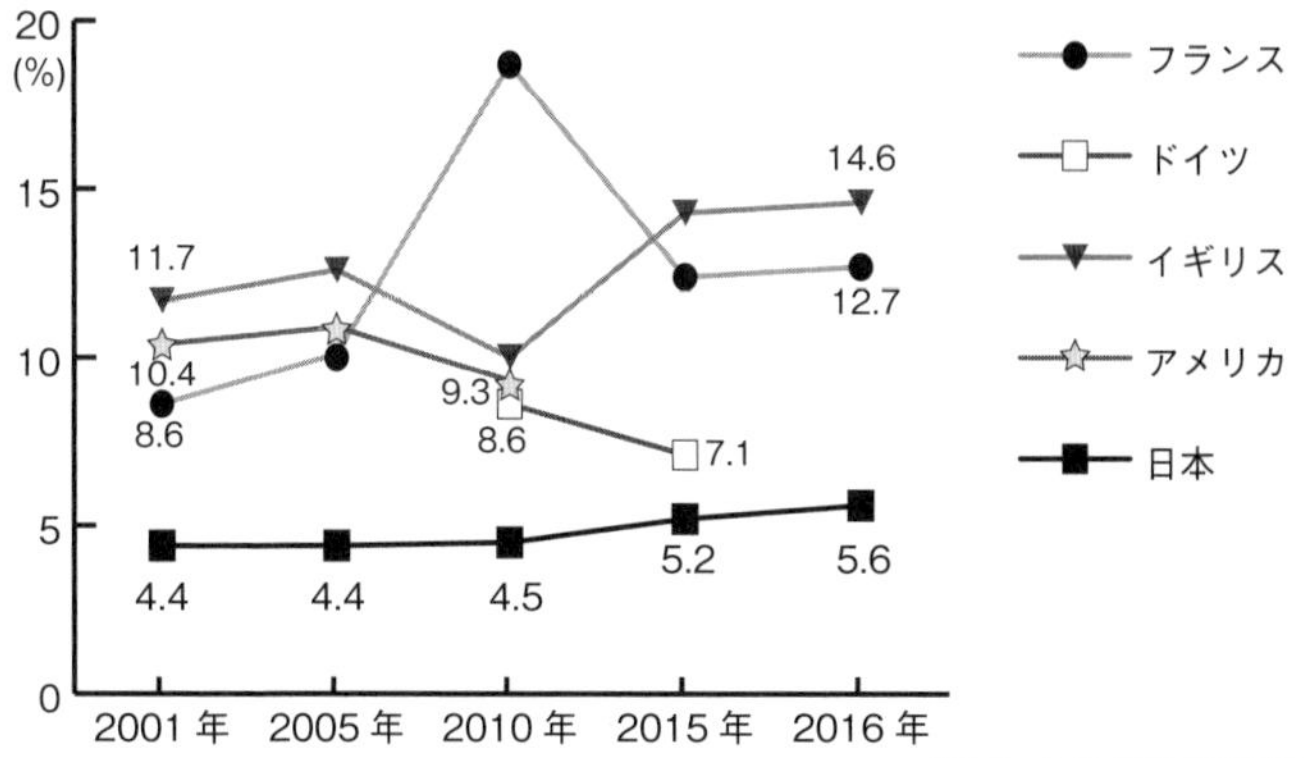

【出典：厚生労働省資料ほか】

日本の創造的対応』東洋経済新報社、２０１７年）

日本では開業率も廃業率も低い

では、なぜ今、日本に巨大ベンチャー企業が育たないのだろうか。そして、なぜ、日本企業の生産性は低いのだろうか。

結論的に言えば、本来であれば市場から退場（つまり倒産あるいは廃業）しなければならないはずの企業が守られてきたからである。この事実は、国際比較をするとよくわかる。例えば、上の図（企業の開業率の国際比較）を見れば明らかなように、欧米各国と比べ日本の開業率は極めて低い。つまり、新しいベンチャー

図5：企業の廃業率の国際比較

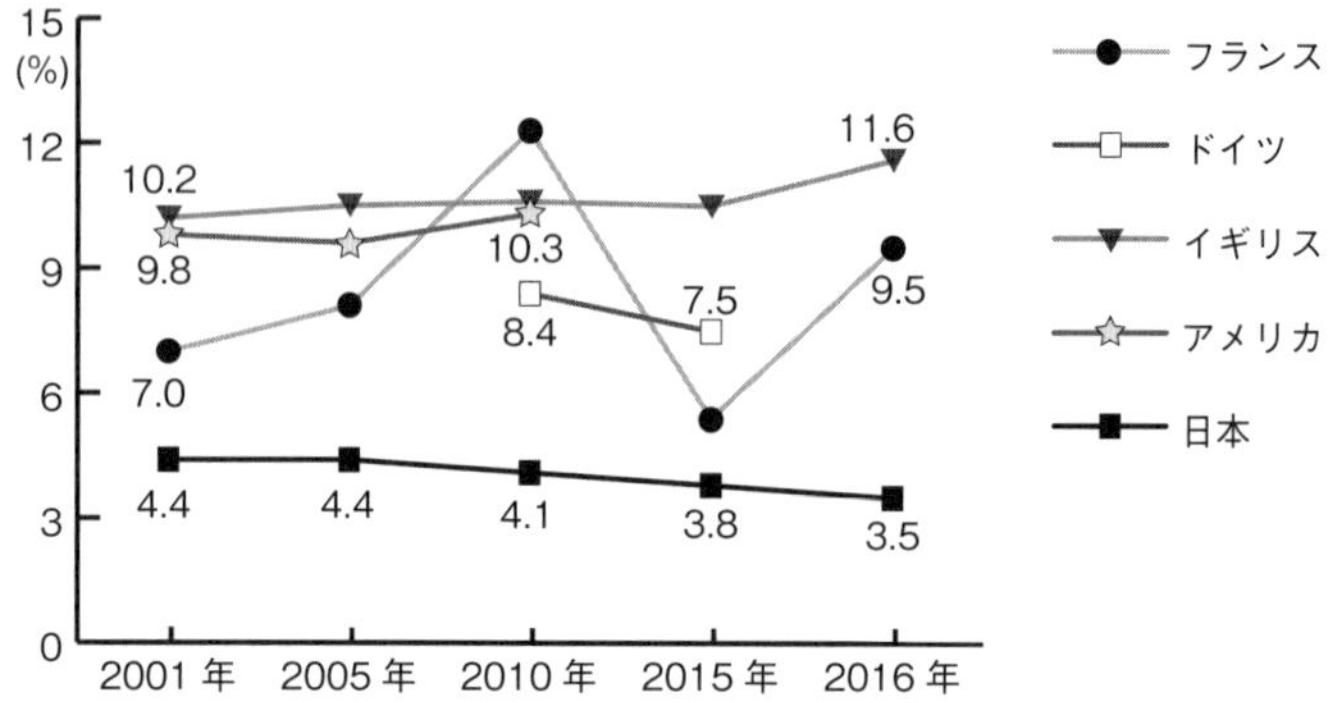

【出典：厚生労働省資料ほか】

が開業する比率が明らかに低いということである。そして、より重視すべきは、廃業率（上図）もきわめて低いということである。

実は、国際的に見て日本の企業数は圧倒的に多いという事実は意外に知られていない。つまり、中小零細企業がきわめて多いというのが、日本の企業構造の特徴なのだ。そして、それだけ多くの中小零細企業がありながら廃業が少ない。なぜこのような事態になっているのか。少なくとも、優良な中小零細企業が多いからと結論付けることはできない。事実に反するからだ。だとすれば、何か「別の要因」があると考えるのが妥当であり、そのおかげでこのような異常な状態が起きているということである。

いまだに「護送船団方式」で守られているという不思議

「別の要因」とは何か。それは、いわゆる「護送船団方式」が相当程度残存しているということである。護送船団方式とは、すでに存在している事業者を守って一社も倒産させないようにするために行う役所の保護政策のことである。護送船団は、最も速度の遅い船に合わせて進む。つまり、同じ業界の中では誰も遅れないように、すべての事業者を守り、すべての事業者が同じ速度で動いていくための政策である。

日本では戦後、多くの産業分野でこのような政策がとられ、金融業界がその代表例だった。しかし、１９８０年代の金融ビックバンによって、金融業界の護送船団方式は終わりを告げた。ただし、他の産業分野ではいまだに、護送船団方式の名残ともいうべき政策が残っている。そのため、多くの領域で新規企業が参入を妨げられる一方で、いったん参入した企業は既得権によって守られるという状態が続いている。

いま、この護送船団方式の名残の矛盾が、ライドシェアに対するタクシー業界保護や、エアビーアンドビー（Airbnb）のようなホームシェア事業者に対するホテル・旅館業保護に典型的に表れている。規制によって新規参入が禁止される一方で、すでに参入しているタクシー業者やホテル・旅館業者は保護されている。さらに言えば、例えばタクシーの場合には、料金規制や保有車両台数の制約などもあり、すでに権益を持っている会社を保護するということが、「公共交通」の名のもとで政策的になされてきている。要するに、護送船団方式の名残の政策によって、本来ならば退場すべき企業を政府が守ってきた、その結果として、新規参入が妨げられてきたということである。

経営者も守られてきた

実は、企業だけではなく、本来であれば退場すべき経営者も守られてきた。企業の生産性を高めて、より利益が上がる分野に進出することに失敗した経営者は退場し、より能力の高い経営者に替えられるべきなのに、である。より能力の高い経営者が経営すれば、少なくともその企業の生産性は高まっているはずなのに、それもなされてこなかったということだ。

なぜ、そのようなことが起きているのか。それは、企業の経営者を選択し、評価する機能が十分働いていないからである。企業の経営陣を決める役割は取締役会にあるが、日本ではその取締役会が十分に機能してこなかった。日本ではサラリーマンが出世して取締役になり、やがて社長になるという双六システムになっている。社長は実質的に自らの後継者を指名する権限を持ち、取締役は基本的に社長の部下なので、社長の首をすげ替えるという決定がなかなかできない。そこで、自分の路線を否定してひっくり返せないような人を後継に指名することが続き、したがって、本来であれば退場すべき経営者がずっと守られ続けている。この領域からは手を引いて、もっと新しい領域に進出しなければいけない時に、その決定ができずに、従来からの領域にしがみついてきたということが企業の生産性を低めてきた大きな要因だと言える。

要するにコーポレートガバナンスの強化が必要なのだ。安倍内閣の成長戦略において、社外役員選任などの一定のルールづくりは進んだ。しかし、未だその実効は十分に上がっていない。さらなるコーポレートガバナンスの強化が不可欠だ。

事前規制型の行政で企業は守られてきた

このような状況を解決するためにはどうしたらいいか。答えは簡単で、退場すべき企業の保護をやめるということに尽きる。少なくとも、退場すべき企業を政府が守ることをやめるべきである。具体的には、規制改革を強力に進めることだ。ライドシェアであれば、既得権を守って新しいシェアリングエコノミー事業者を参入させない規制をなくす。農業や水産業では、企業がもっと参入できるようにする。電力では、多少自由化が進んだものの、新規参入をもっと進めなければいけない。通信・放送の領域では、実質的には電波の割り当てなど様々な制度によって新規参入が抑制されて、地上波のテレビは新規参入が数十年間まったくないので、このような状態を変えていかなければならない。

先にも述べたが、規制改革については、1990年代から「事前規制型から事後チェック型への転換」と言われてきた。事前規制型とは、民間企業や民間の人たちが何かを行うときにはいちいち役所にお伺いを立てるという仕組みであり、企業の新陳代謝という文脈で言えば、新しいことをやろうという人がいた時に役所が事前にチェックするということである。その一方で、いったん役所がそれを認めると、補助金を出したり、保護行政を徹底的に行ったりして、その企業を簡単には倒産させないようにするというのが事前規制型の行政である。

事後チェック型行政が世界的潮流になった

それに対して、事後チェック型とは、市場や競争を重視し、自由に参入を認めて競争を促し、競争に敗れた企業が退出をするためのルールをきちんとつくることである。

実は、20世紀半ばころの世界は、かなりの程度、計画経済的（あるいは混合経済的）な体制が主流であり、通信・交通、電力などの主要な分野においては、公営企業や国営企業が運営する国が多かった。また、民間が行うにしても様々な規制を課すということが、日本だけではなく多くの先進国でなされていた。

しかし、経済規模がより拡大し、人々の所得も上昇し、経済活動がより複雑になるにつれて、1970年代ころから規制を撤廃して市場に任せられる分野は市場に任せるようにするという政策転換が行われた。1978年のカーター政権による航空自由化が市場重視型の政策転換への第一歩であり、初期には「規制緩和」

（ディレギュレーション、deregulation）と言われた。その後、80年代のアメリカのレーガン政権とイギリスのサッチャー政権の時に、方向性がより明確になって「規制改革」（レギュラトリー リフォーム、Regulatory Reform）として本格的に展開され、世界中に広がっていった。

遅々として進まなかった日本の規制緩和

日本でも1981年に第二次臨時行政調査会（第二次臨調）が発足し、「民間活力の活用」という言葉が使われるようになり、規制緩和路線のもとで中曽根内閣は国鉄民営化や電電公社の民営化を行った。さらに、1997年には日本でも「事前規制型から事後チェック型への移行」と謳われるようになったが、残念ながら、遅々として進まなかった。

例えば、80年代〜90年代には「電力自由化」が世界のトレンドとなった。当時、欧州では、公営電力会社が標準であり、アメリカでも規制を行っていた。しかしその後、多くの国が、電力の送電網と発電網とを切り離し、自由に競争できるシステムに切り替えるようになった。もちろん一部では、停電が起きるというような事態も見られた。それを見て、規制派は「電力自由化は失敗」のキャンペーンを展開した。しかし、現在では経験の蓄積によって、停電などの対処は可能になっている。

「電波オークション」に遅れている日本社会

「電波オークション」に関しても、80～90年代から議論が行われている。かつては世界中の国で、誰に電波を割り当てれば最も効率的に利用するかを、政府が判断して決めるという仕組みだった。ところが、ラジオからテレビへ、さらに携帯電話にというように電波の利用形態が拡大していくにつれて、政府が最適な割り当てを決めることができなくなった。政府は全知全能ではないからだ。

そもそも電波オークションという考え方は、経済学者のロナルド・コースの発案である。政府が電波の割り当てを行うと、政治的な意図による歪曲が起きて、効率的な利用ができなくなる恐れがある。それを排除するためには、市場メカニズムを活用すればいい。電波を利用したい企業に値段を付けさせる。そうすれば、最も有効に利用する人が最も高い値段をつけるはずである。電波は土地のようなものだ。都心の一等地に50階建てのオフィスビルを建てようとする人のほうが、同じ土地を平屋の一軒屋を建てて自分が住もうという人よりも高い値段をつけるはずである。それと同じように、電波も高い値段をつける人のほうがより効率的な使い方をするというのが、電波オークションの議論である。

市場重視の事後チェック型体系への転換を

要するに、80年代から90年代に世界中で電波オークションの議論がなされ、90年代には先進国で携帯電話が普及し、ＯＥＣＤ諸国は電波オークションを取り入れた。日本だけが例外で、長年議論だけがなされ続け、２０１９年の国会でようやく価格メカニズムを取り入れた新たな割当方式の導入が決まった。世界中でなされた市場重視型の政策体系の転換からは、大きく後れを取っている。

これは、日本企業の新陳代謝を遅らせ、生産性を低迷させるということと表裏一体の関係にある。電力自由化が遅れていることが新しい電力事業者の出現を遅らせている。だから原子力発電所（原発）を持っている電力会社が優遇されて、大きな力を振るい続けているという問題点もある。電波に関しても、放送事業の分野でなかなか新規参入できないというところにもつながっている。
「日本の宿題」という観点で言えば、退場すべき企業を保護するような事前規制型の規制体系を止めなければいけない。そして、市場重視の事後チェック型の体系に切り替えるということが必要とされている。

既得権を正面から認めていないことが問題解決を遅らせている

実は、逆説的に言うと、既得権を正面から認めていないことが問題解決を遅らせている大きな要因になっている。先に述べたように例えばライドシェアに関して、ドバイの行政当局が既得権保護をしていることを正面から認めて、その範囲を規定して線引きし、それ以外は新規参入を認めた。その結果として合理的・スピーディーに問題の解決を図っている。

繰り返し指摘しているように、日本の場合には既得権を保護していることを表向きは一切認めていない。既得権を保護するという本音を隠すために、安全の確保とか消費者の保護という建前を使っている。ライドシェアであれば、仮に事故が起きると乗客が大変な目に遭う可能性があるから認めるべきではないという類の議論である。また、農業への企業の参入を抑制するために、企業は利益が出なければ農地をごみ置き場に替えてしまうに違いないというようないい加減な議論をするのである。

このような議論ばかりしているので、今行っている100の既得権保護を例えば20に抑えて新規参入も認めるというような段階的な撤退ができない。これまで享受してきた既得権者の既得権をいきなりゼロにすることは難しいかも知れない。何らかの利益調整をしなければならない。そのために最も合理的なやり方は、いわば退職金を払ってお引き取りいただくというやり方である。例えば、農業であれば、零細の兼業農家に一定程度の退職金を払って撤退していただき、より合理的な農業運営ができる人（企業）に農地を引き渡すことであり、そのような政策への抜本的な転換が求められている。

なお、企業の新陳代謝を高めるという点に関し、最近は最低賃金の大幅引き上げの議論がなされているので、この点に言及したい。

最低賃金を引き上げれば、それを負担できないような限界的な企業は退出せざるを得ず、結果的に新陳代謝が進むという主張だ。こうした考えには、確かにそれなりの説得力がある。しかし結論として、筆者らは賛成できない。そもそも最低賃金とは、国民が一定水準の生活ができるように保障するという、社会福祉としての政策だ。それを産業政策として行うのは筋が違う。そもそも、補助金など生産性の低い企業を保護するような政策を行いながら、一方で最低賃金を上げるというのは矛盾している。競争促進策は競争政策として、社会保障は社会保障の立場で、シンプルに行うべきである。民主主義社会において、複雑に錯綜した政策体系は国民から政策を見えにくくするもので好ましくない。もちろん人々の生活を支えるために、必要な最低賃金を徐々に引き上げることは、当然に重要である。

総理（官邸）主導の復活

新陳代謝を高めるための規制改革を推進することは、喫緊の課題だ。しかし規制改革には既得権益グループが官僚機構とともに、大きな障壁となる。これを突破するには、政治の高いレベルの主導つまり総理（官邸）主導の政策決定が不可欠である。総理および総理官邸からの強いリーダーシップがなければ、鉄の三角形を突破することは出来ない。

そうした観点から、総理主導の規制改革を前面に打ち出した国家戦略特区の制度がつくられた。この仕組みは、2013年に始まった産業競争力会議（総理を議長とする成長戦略議論の場）で筆者らが提唱し、安倍総理や菅官房長官の主導で早期に実現した。特区とは、全国的な規制緩和には大きな反対勢力が立ちはだかることから、特定の地域（首長が改革を志向し、かつそれを実施する企業が存在する）を指定し、そこで先行的に規制改革を進めるという仕組みだ。小泉内閣の構造会改革特区から始まり、その後総合特区といった仕組みもつくられている。

ただしこの国家戦略特区は、従来の特区と違う点が大きく二つある。第一に、国を代表する特区担当大臣、地方を代表する特区の首長、事業を推進する民間の事業主体、の三者が「区域会議」において対等の立場で必要な規制改革を議論することだ。区域会議は、ミニ独立政府のように大胆な規制緩和の議論を進めることが期待される。これを受けて特区担当大臣の指揮下にある内閣府が各省と折衝し、規制緩和を進める。しかし、そうした改革は抵抗勢力とぶつかることが容易に想像できる。そこで第二に、総理を議長とする特区諮問会議を設け、民間有識者を交えて議論する。諮問会議の議長、つまり総理のリーダーシップで規制改革が進められる、という仕組みである。

国家戦略特区は２０１４年から始動し、現在、東京圏、関西圏、仙台市など10の地域・都市が指定された。認定事業数は３３５事業にのぼる（２０１９年９月30日現在）。わかり易い事例として、都市開発が挙げられる。これまでの都市開発では、都市計画審議会の全てのプロセスを経るのに５年以上もかかったものが、区域会議で一気に進められるという制度の下で、その期間が約2年に短縮された。その結果現在、東京では約25の大型都市開発事業が動き始めている。数年後に、東京の町の姿は大きく変貌していよう。また他にも、これまで出来なかった企業による農地の取得、限定付きのライドシェア（兵庫県養父市）なども、国家戦略特区の枠組みで可能になっている。

しかしこうした総理主導の仕組みが、２０１６年以降の加計問題（獣医学部の新設）によって、一気に後退した。一部野党やメディアの批判がいかに誤ったものであったか「宿題17　政治・メディアの悪循環を糺《ただ》す」で触れるが、総理主導のシステムそのものを標的にし、総理が歪んだ意思決定を強要したかのような印象操作が横行した。その結果、政府の姿勢も極めて慎重になり、総理主導のシステムが基本的に機能しなくなっている。そこに事務局の弱体化も重なった。結果的に、２０１６年から当初3年間で82の法律事項について規制緩和が進んだものが、その後は10以下の事項に留まっている。規制改革における、総理主導の復活が求められる。

突破口としてのスーパー・シティ

こうした中、筆者らはさらに二つの提案を行った。一つは、イギリスなどで実施されている「規制の砂場」（Regulatory Sandbox）の制度を特区の中に組み込むことだ。サンドボックスは、まさに砂場のように自由に新たなことを実験できる仕組みだ。サンドボックスについては、経済産業省の主導で既に一つの法律がつくられ成立したが、これは総理主導のシステムではなく、筆者らが懸念した通り、岩盤規制と呼ばれるような難題ではあまり機能していない。一方総理主導の国家戦略特区によるサンドボックスは、残念ながら法律として未だ成立していない。

二つ目の提案は、スーパー・シティ建設を目指すものだ。第4次産業革命の進展は目覚ましく、いまやビッグ・データと人工知能などで都市空間全体を運営する試みが世界で進んでいる。グーグルは、カナダのトロントをグーグル化すると宣言し、既に多額の資金を投入している。中国では、アリババの本社が存在する杭州市で、市当局とアリババが協力して新たな試みを展開、またシンガポールやドバイでも同様のことが進んでいる。

こうした場合、スマート・テクノロジーを自由に活用できる規制緩和とともに、個人情報の保護を両立させる新たな仕組みが必要だ。筆者らが提案したスーパー・シティは、国家戦略特区の仕組みをさらに強化して（データ利用などに関する）住民合意を前提に大胆な規制改革を可能にするものだ。イメージとしてこのスーパー・シティでは、車の自動走行、ライドシェア、遠隔医療、遠隔教育などが自由に活用される。また、全てキャッシュレスで取引が行われ、一度役所に住所変更を届ければ免許書き換え・銀行の住所変更などすべて行われる（ワンスオンリー）。つまり、地元の強い意志とそれを実現する覚悟の企業が揃えば、21世紀型の未来先取り都市をつくれるという仕組みだ。

新たなテクノロジーを活用した都市、いわゆるスマート・シティの試みは既に多数あるが、これらは単一項目の実験である。例えば車の自動走行に関しては33都市、ドローンの活用については22の都市で実験が行われている。しかしスーパー・シティは都市生活全体にスマート・テクノロジーを適用し、かつ実験ではなく実装を行うものだ。まさに、スーパー・スマート・シティである。

スーパー・シティに関しては、2019年の成長戦略に織り込まれ閣議決定もなされた。国会にも法案が提出はされたが、現時点(2019年末)で未だ可決には至っていない。政治全体の雰囲気として、政権の安全運転のために総理主導のこうした仕組みに尻込みしているのではないか、という雰囲気が感じられる。しかし規制改革を進め経済の新陳代謝を高めるには、政治の高いレベルでの後押し、すなわち総理主導の仕組みがどうしても不可欠だ。国家戦略特区の仕組みに見られる総理主導を復活させること、その象徴としてのスーパー・シティを早期に実現することが強く求められる。

提言

一、企業と産業の新陳代謝を高め生産性を向上させるため、退出すべき企業の保護を止める。また、コーポレートガバナンスの一層の強化策を採る。

二、既得権益グループと官僚機構の壁を突破するため、首相主導の規制改革を復活させる。

三、その象徴として、第４次産業革命に対応した「スーパー・シティ」を早期に実現する。

デジタル・ガバメントをつくる

マイナンバー制度とは

「マイナンバー」とは、外国人を含めて日本に住民票を有するすべての人が持つ12桁の番号。原則として生涯同じ番号を持つことになっている。2016年1月に導入されてから3年余が経過した現在、巷では、マイナンバーカードを手にしたけれども、何がどう便利になったのかわからないという声が聞こえる。とりわけ給与以外の報酬がある場合（確定申告）には、税金を払う段になるとマイナンバーの登録をしてほしいという連絡がきて面倒が増えているだけで、何が便利になったのかわからないという。

マイナンバーは企業にとっても大きな負担になっている。顧客のマイナンバーは特別な保管の仕方をすることが義務付けられている。そのため、わざわざ部屋を設けたり、アルバイトではなく正社員に厳重な管理をさせたりするというように、余計な手間がかかるからだ。さらに、保険証や自動車の運転免許証などの公的ナンバーとマイナンバーが、なぜ一体化しないのかという議論もずっと続いている。そもそもマイナンバーは、様々な民間サービスと共有できる仕組みにするはずだった。しかし、現段階では、それがまだほとんど実現していない。

例えば、2016年に出された自民党IT戦略特命委員会の利活用推進ロードマップによれば、2018年には運転免許証がマイナンバーに統合されることになっているが、まだ実現していない。2019年には、行政手続きをネットでできるようにする「デジタル手続法」*が成立した。マイナンバーを使うことによっていろいろな手続きが楽になるという点に関しては一歩前進したといえるが、全面施行には約五年を要するスケジュールとなっている。現状では、依然として「印鑑が必要」で、道半ばにも達していない状況だ。

デジタル・ガバメント化を進めるために

日本でも、もともとはマイナンバーカード一枚ですべての手続きが可能になる

デジタル手続法
正式名称は、「情報通信技術の活用による行政手続等に係る関係者の利便性の向上並びに行政運営の簡素化及び効率化を図るための行政手続等における情報通信技術の利用に関する法律等の一部を改正する法律」。

ように制度設計されていた。そして、さらにそこから進めて生体認証だけで、様々な手続きができるようにするはずだった。究極的には役所の窓口が不要になり、役所の建物も必要なくなるかもしれない。民間の手続きはその次のステップになるとしても、少なくとも行政手続きは在宅でできることになるはずだった。

日本で2000年頃からずっと、行政手続きをオンラインでできるようにすることを課題とし続けている間に、デジタル化技術は急進展した。政府機能の一定部分をAI（人工知能）化することも可能になり、例えば、土地登記に関しては、登記所で申請を受け付けて処理するのではなく、権利の移転をブロックチェーンで記録して確認していくことが技術的にはできるようになっている。ところが、日本政府のデジタル・ガバメントはまったくそのレベルにはなく、いまだにオンライン申請にとどまっている。

政府は2017年に、「デジタル・ガバメント推進方針」を策定し、世界最先端デジタル国家の創造に向けた政府の実現を目指すとしている。デジタル・ガバメントを一歩進めるためにも、マイナンバーカードを使って、行政手続きは一か所で用事が足り、つまりワンストップでできるようにすることが喫緊の課題である。

マイナンバーで「源泉徴収」は不要になる

実は、マイナンバーを導入すれば源泉徴収は不要になる。

源泉徴収は第2次世界大戦の直前につくられた制度で、企業の従業員が負担すべき税金を企業が徴収して、まとめて政府に支払うという仕組みだ。従業員が個人単位で給料と経費と税額を計算して申告し、税務署員がそれをチェックするというのは大変な作業になるので、その作業を企業が代わりに行ったということである。

この制度は、税務行政にとっては効率的だ。しかし一方で、サラリーマンの自らの税負担に対する意識を低下させるという問題があることは、数十年前から指摘されている。納税者としての意識が低く、政府の支出などを監視するという意識が弱い要因の一つにもなっている。

実は、かつては日本と同様に源泉徴収の仕組みのあった韓国では、すでにデジタル政府化が進展している。個人の所得に関するデータはすべて政府が把握して、支出に関してはクレジットカードのデータが共有されて、自動的に税額が計算される。医療費などもすべて把握されているので、あらかじめ政府の側で医療費控除額が計算され、収入から諸経費や医療費控除額等が差し引かれた税額が画面に示される。それを、個人が確認するような仕組みになっている。

これによって税務行政コストが大幅に削減されていることは容易に想像できる。韓国の場合には、キャッシュレス化が進んでいるという事情もあるが、日本でもマイナンバーカードが正常に働くようになれば同じような仕組みを導入できるはずである。かつて「10・5・3・1（とお・ごー・さん・ぴん）」*あるいは「9・6・4（く・ろ・よん）」と言われたように、日本では自営業の所得捕捉率が低いという問題がある。これを解消するためにも、マイナンバーを活用してデジタルに収入を把握し、公正に税率をかけるという仕組みに変えたほうがよい。より効率的な徴税が可能になるだけでなく、真面目に納税している人に高い税金が課され、見つからなければ低い税金ですり抜けることができるという不公正もなくなる。

年金未収問題と「日本年金機構」という杜撰な組織

さらに、デジタル・ガバメントを財政の観点から見ると、「デジタル歳入庁」の創設につながる。実は、税務署などの国税部門と、社会保険を取り扱う社会保

*10・5・3・1（とお・ごー・さん・ぴん）、9・6・4（く・ろ・よん）　課税所得の捕捉率を揶揄した用語。10・5・3・1は、サラリーマンは所得の10割が課税対象となるが、自営業者は所得の5割が、農業は3割、政治家や宗教家は所得の1割しか課税されないという意味。9・6・4は、課税所得の捕捉度合が、給与所得が9割、自営業が6割、農業は4割程度であるという意味。

険庁（現在の日本年金機構）を合体して歳入庁をつくるという議論は、かねてからあった。

社会保険料に関しては未収も多く、国民年金に関しても未納比率がまだ相当程度残っているという問題がある。日本年金機構は、国民年金未納率は下がっているというが、データをよく見ると、未納率は下がっているものの、その代わりに免除率が上がっていることがわかる。つまり、国民保険料免除を増やすことによって、未納率が下がっているように見せている面がある。

また、社会保険料未収問題に関しては、企業側の問題もある。基本的には、企業は従業員を雇用した場合、社会保険納付義務が発生し、その旨の届出をして社会保険料を払う義務が生ずる。しかし、実際にはその届出を行っていない企業が数多くある。給料を支払っている事業所として税務署が把握している事業所と、社会保険料を支払うために日本年金機構に届出をしている事業所の数は明らかに差があり、後者のほうが少ないのだ。

したがって、税務署と日本年金機構を一体化して、より強力かつ効率的に社会保険料を徴収しようというのが、歳入庁創設の議論だった。

しかし、国税庁が歳入庁創設を嫌った。社会保険庁のような不出来な役所と一緒になりたくないというのがその理由だ。かつての社会保険庁も現在の日本年金機構も、数年に一度必ず不始末問題を起こす厄介な組織である。社会保険庁のときには「年金記録問題」が起きていい加減な記録処理が大問題になり、日本年金機構への組織変えをする契機になったことは記憶に新しい。それで組織体質を根本から改めるべきだったが、２０１５年にはデータ漏洩問題が起き、２０１８年には中国企業にデータを渡してしまい、そこから再び漏洩問題を起こした。要するにこの組織には、データ管理体制に関する根本的な問題があるということだ。

デジタル歳入庁で社会保険料の未収はなくなる

実は、日本年金機構と一体化することについての国税庁の懸念は、デジタル歳入庁をつくることによって解消される。日本年金機構と事務所や組織を統合する必要はまったくなくなるからだ。マイナンバーカードをベースにすれば、個人の所得を完全に捕捉することができ、そのデータによってその人の税金と社会保険料が簡単に計算できる。サラリーマンの場合には、勤務している企業がデータベースをつくる。個人事業者の場合には、所得はマイナンバーに紐付いているのでデータはすべて捕捉可能だ。個人資産の把握も可能であり、そのデータに基づいて税金と社会保険料を取ればいいだけの話である。

デジタルな所得捕捉などのシステムが完成すれば、日本年金機構の仕事の多くはシステムで代替できる。職員に残される仕事はシステムの運用とデータ管理をきちんと行うことであり、それによって未収問題は相当程度なくなるはずだ。それでも未納者が出る場合には取り立てに行けばいい。あるいは、データ管理をするために人材を割くことだ。つまり、日本年金機構の職員の仕事がただちになくなってしまうということではなく、デジタル化で不要になる仕事はやめて、必要な仕事に人を充てればいい。

さらに言えば、政府全体で見れば人を必要とする部署はいくらでもあるので、そういうところに異動させればよい。組織の枠を越えた人材の流動性を高めれば、政府全体の機能をより高めることができる。

第4次産業革命のもとで、ビックデータやＡＩによって産業社会が大きく変わろうとしている。その際必要となる究極の社会インフラは、デジタルな空間でその個人をどのように認定すればよいか、つまり個人記録の制度である。これを見越して諸外国では、様々なくふうがなされている。その代表としてインドでは、近年だけでも数億人の人々が、指紋だけで銀行口座を開設したと言われている。
日本には戸籍や住民基本台帳など、世界に類を見ないような個人認証の制度がある。その一方で、それをデジタルな空間で活用できるマイナンバー制度はきわめて中途半端で、マイナンバーカードの普及率は12・8%(2019年3月)にとどまっている。インドとは大きな差だ。マイナンバー制度の拡充とその普及は、第4次産業革命の時代における日本の最大の宿題の一つだ。

提言

一、マイナンバー制度は第4次産業革命の時代に不可欠なインフラであり、その普及と拡充を急ぐ。
二、デジタル・ガバメントを推進し、その象徴としてデジタル歳入庁を創設する。

第3編

社会

日本の宿題11

働き方をさらに変革する

戦後に定着した終身雇用・年功序列

日本人の働き方は、終身雇用、年功序列制度のうえに成り立ってきた。終身雇用や年功序列の制度がいつごろから定着するようになったかは、専門家の間でも意見が分かれる。一般的には第2次世界大戦後に普及していったと考えられている。戦前の労働事情に関するいくつかの資料からは、頻繁に職を変え、一つの企業に定着しない日本の労働者の実態が読み取れる。特に工場労働者などのブルーカラーにとっては、より賃金の高い企業に転職することは当たり前のことだったようだ。

ところが、第2次世界大戦後、日本は焦土と化した。日本人は焼け野原から立ち上がり、新たな一歩を踏み出さなければならなくなった。国が発展するうえで欠かせない要素の一つが教育である。しかし、戦争の被害は甚大で、高等教育機関をはじめ、総じて教育機関が十分な教育環境を整えるまでにはかなりの時間を要した。復興し、成長するために優秀な人を雇いたい。成長の潜在力は十分に高い。しかし、しっかりとした教育を受けた人材は少ない。そこで企業が取り入れたのが、採用者を企業自らが教育するという方法だった。

採用した新入社員を企業が教育し、一人前の社員に育てる。そのための投資は惜しまない。1950年代に入ると、新入社員教育は多くの企業で行われるようになった。一方で、せっかく投資・育成した社員に辞められては、企業にとっては大きな損失となる。そのためには、できるだけ長く働いてもらい、長く働き続ければ続けるほど居心地のよい労働環境をつくる必要があった。その労働環境の核が終身雇用・年功序列という制度であった。

一度就職すれば、よほどのことがない限り定年まで働き続けることができる制度は、社員に安心感を与えた。終身雇用と対になって設けられた制度が年功序列制度だ。終身雇用で辞めさせられる不安もなく、年功序列により、それなりに努力すれば勤務年数に比例して役職が上がっていく。この二つの制度により、社員は将来にわたって安定した収入を確保でき、会社も人材を失うことなく発展し続けることができるようになった。

このような背景から、終身雇用、年功序列は社会の中に定着していった。政府がそのようにするために何らかの特別な政策を行ったわけではない。戦後、経済は右肩上がりに成長していくだろうという前提のもと、会社が社員を自らトレーニングするOJT*というスタイルをつくりあげたのである。

このスタイルは採用方法にも影響を与えるようになった。会社は、会社の教育方針に異論を唱えたり、上司に対して反論したりするような人物ではなく、会社の教育を一生懸命受けてくれる純粋で素直な人物でないと教育効果は上がらないと考えた。その結果、社会経験のある既卒よりは新卒が、呑み込みの速い偏差値の高い大学の学生が好まれるようになった。特に、上下関係を重視する体育会系の学生、中でも東大卒などの体育会系学生が採用では最も優遇された。これが従来型の就職戦線だった。

過去の遺物となりつつある終身雇用・年功序列

OJT（オン・ザ・ジョブ・トレーニング）
職場で実際の業務を通して行う教育訓練。

終身雇用、年功序列の制度には長所も多い。労働者側にとっては、長期雇用のため生活の安定が確保される。また、経験を積み上げた先輩から様々なことを教えてもらうことができ、自身の技術を向上させることができる。会社側にとっては、会社に対する社員の忠誠心が養われ、自然と技術の伝搬が可能となる。この制度は、いまでも大企業の製造業にとっては、非常に優れた制度であることには変わりない。

しかし、この制度には二つの問題点がある。一つは、終身雇用、年功序列のため、不況になっても、特に給料が高い中高年層の人員削減が難しいことである。人員を削減できなければ、人件費は固定費として経営を圧迫し続ける。一方で、新たな戦力を雇用しなければ会社の発展は難しい。そこで非正規社員を増やすという方針がとられる。長期的な固定費となる給料の高い正社員よりは、短期の変動費としての非正規社員の方が経営上便利なのは明白である。

もう一つの問題点は、終身雇用、年功序列という制度を維持するためには、会社の組織がピラミッド型でなければならないことだ。ピラミッドを維持するには会社は右肩上がりの成長を続けなければならない。もし成長が停滞し、新卒の雇用が滞り続ければ、中間管理職の年齢層が異常に膨らんだいびつな形となり、平社員よりも管理職の方が多い組織になってしまう。少子化により社会全体の人口ピラミッドも、既に上方が膨らんだ形へと変わってきている。様々なリスク要因で利益が大幅に変動し、また高度成長期のように若年層の増加も見込めない現在、終身雇用・年功序列は明らかに社会になじまない制度となりつつある。

働き方を変える

２０１７年3月、政府は「働き方改革実行計画」を公表し、働き方改革を日本経済再生に向けた最大のチャレンジと位置づけた。２０１８年6月には「働き方改革関連法」*が国会で成立した。

働き方改革というと、残業を減らすことだと思う人が多いかもしれない。もちろん、いままでの長時間労働を是正することは大切だが、なぜ残業をしなければならないか、その原因はどこにあるのかということを考えることが大切だ。残業せざるを得ない原因は、明らかに日本の終身雇用を前提とした企業の人員計画にある。企業は不況のときに正社員を解雇できないため、好況で仕事量が増えても

働き方改革関連法
正式名称は「働き方改革を推進するための関係法律の整備に関する法律」。
①「労働基準法」
②「じん肺法」
③「雇用対策法」→改正後「労働施策総合推進法」
④「労働安全衛生法」
⑤「労働者派遣法」
⑥「労働時間等の設定の改善に関する特別措置法」
⑦「短時間労働者の雇用管理の改善等に関する法律（パートタイム労働法）」→改正後「短時間労働者及び有期雇用労働者の雇用管理の改善等に関する法律（パートタイム・有期雇用労働法）」
⑧「労働契約法」

正社員を大きく増やすことはしない。その結果、正社員は残業をしないと仕事が回らなくなる。また、ある地域が成長しているとなると、そこへ人員を配置するために転勤も多くなる。終身雇用、年功序列で正社員は守られている。しかし守られている分、無理も強いられる。このことが長時間労働や転勤の原因となってきた。

いま、求められていることは、柔軟な働き方ができる社会の実現である。

人生にはいくつかの段階があり、人の考え方も千差万別である。例えば、子育て期間中は残業を避けたいが、子育てが終わったなら収入も増やしたいので残業もいとわないとか、一つの会社で一生懸命働いて定年を迎えたいとか、会社の仕事は頑張るが上司との酒のつきあいは勘弁してほしいとか、人によって考え方は様々である。

価値観は多様化し、多様な働き方をしたいと考える人々が増えている。企業も多様な企業が出てきている。生まれたばかりのベンチャー企業に、終身雇用、年功序列を保証させるなどは無理な話である。既存の企業でも、例えばファーストフード産業のように、年齢や勤続年数が給料に反映しない賃金体系を指向してい

などの労働法の改正を実施するための法律の通称。2019年4月1日から順次施行。

る企業もある。多様な働き方、多様な雇用形態がとれる社会の実現が望まれている。この議論をすると、日本の雇用慣行にはよい面がたくさんあると主張する人々がいるが、従来の雇用慣行がよいと思う企業はそれを続ければよい。いま大切なことは、他の多様な働き方も認めようということだ。多様な働き方を認めて、働き方の違いによって制度的な不平等が生じることがないようにすることである。

同一労働同一賃金を実現する

不平等の典型的な例が、同一労働同一賃金が実現されていないことだ。正社員は給料も高く、賞与が出るが、非正規社員は正社員よりも低い賃金で賞与も出ない。この実態は、終身雇用、年功序列と裏腹の関係にある。同一労働同一賃金を実現することは、これまでの働き方そのものを大幅に見直すことにつながる。

同一労働同一賃金については、安倍首相が2016年1月の施政方針演説で触れている。この時期、筆者はダボス会議に出席していたが、日本の総理大臣が施政方針演説で宣言したということで、海外の出席者の多くが私のところに質問に来た。日本は本当に取り組むのか、もし取り組むのなら素晴らしいことだ、とい

働き方改革法整備の柱
①働き方改革の総合的かつ継続的な推進、②長時間労働の是正、多様で柔軟な働き方の実現等、③雇用形態にかかわらない公正な待遇の確保。

労働者派遣法
正式名称は「労働者派遣事業の適正な運営の確保及び派遣労働者の保護等に関する法律」。「同一

うのが質問者たちの感想だった。ダボス会議に出席していたメンバーが大きな関心を寄せたように、同一労働同一賃金は世界的に重要なテーマなのである。

働き方改革を進めるうえでの法律整備には、三つの大きな柱*があるが、その三番目に「雇用形態にかかわらない公正な待遇の確保」があげられている。この方針に関連して、パートタイム労働法、労働契約法、労働者派遣法が改正*された。

2018年に改正された労働者派遣法では、派遣元と派遣先が同一労働同一賃金の実現に向けて努力する義務が明記された。

1986年に施行された労働者派遣法は、何度か改正され規制緩和の流れにあった。しかし、民主党政権下の2012年の改正では、規制強化の方向に転換された。安倍政権下の2015年の改正は強化と緩和*の両面が見られる。改正では、派遣先の同一部門に派遣できる期間の限度は3年とすること、雇用安定措置*を講じることなどが新たに盛り込まれた。

また、2012年に公布された改正労働契約法では、有期労働契約に関して契約が反復更新されて5年を超えた場合は、無期労働契約に転換*できるルールが設けられた。先に、同一労働同一賃金を実現するためには、終身雇用、年功序列と

労働同一賃金」などを盛り込んだ新たな改正法が2020年4月1日から施行される。

2015改正の緩和の側面
人を変えれば、すべての業務で継続的に派遣労働者を利用できるようになったこと、派遣会社で無期雇用となった無期雇用派遣労働者については期間の制限がなくなったこと。

雇用安定措置
派遣先への直接雇用の依頼、新たな派遣先の提供(合理的なものに限る)、派遣元事業主による無期雇用、その他雇用の安定を図るために必要な措置。

無期労働契約への転換
施行は2013年4月。

いう考え方を改めなければならないと述べた。無期労働契約を申請できるという考えの背景には、終身雇用、年功序列が有利で、正しい働き方であるという前提がある。しかし、これは問題である。例えば、ある研究のプロジェクト期間が7年だとしよう。この場合、研究のための契約社員を7年間は雇えない。5年後には無期労働契約に転換しなければならないからである。結果として、4年とか4年半で辞めてもらうしかない。3年派遣の人の場合は、2年とか2年半で辞めてもらう可能性がある。これでは研究の継続に支障をきたしてしまう。結局、働く人たちのためにつくったはずの規制が、働く人たちに不利な状況をもたらしてしまうのだ。

終身雇用、年功序列が正しい働き方であるという視点から法律を整備すると様々な不都合が生じてくる。そういう意味で、同一労働同一賃金という考え方を錦の御旗にして、真に働く人のためになる働き方改革を実現しなければならない。

同一労働同一賃金の外国人労働者への適用

2019年4月に改正出入国管理法が施行された。5年間で約34万5000人の外国人労働者の受け入れを見込んでいる。単純労働での受け入れが中心だが、今後、外国人労働者が増加していくことは間違いない。

外国人労働者に対しても同一労働同一賃金の考え方を当てはめるべきかについては、意見が分かれる。理想的には、外国人であっても日本人と同じ仕事をしていれば、当然日本人と同じ扱いにすべきである。しかし、外国人労働者を受け入れるねらいは、人手不足の解消を第一としつつ、本音の部分では安価な労働力を期待している企業も多い。また、発展途上国からの労働者の場合、日本にいるときの貨幣価値と帰国したときの貨幣価値には大きな開きがある。筆者は、その点を考慮し、一方で人権的な側面に十分配慮しつつ、日本人とは若干異なる別の基準を設けてもよいのではないかと考える。理想的には日本人と同じにする。しかし、柔軟に対応し、例えば日本人の賃金の二割減までなら認めるなどの現実的な対応をする。一方では、低賃金労働にならないよう、しっかりと行政機関が監視していくことが重要である。

労働を時間では計れない社会の到来

働き方改革に関連してもう一つ検討しなければならないことは、労働対価と労働時間の関係だ。日本は、欧米などに比べ、時間単位の働きで労働者を評価する傾向が強い。確かに、ベルトコンベアでの流れ作業をしている人の場合、労働時間を一割増やせば生産量は一割増えるだろう。この種の仕事を時間単位で評価することは間違ってはいない。

しかし、企業勤めの研究者や出版社の編集者などが労働時間を一割増やしたからといって、その会社の売上が1割増えるだろうか。夜中の2時まで論文を書いていたから残業代を払えと、教授が大学に言えるわけはない。証券会社のアナリストの仕事、エコノミストの仕事、広告会社で企画を考える仕事、すべて時間では計れない仕事である。ホワイトカラーと言われる人たちの仕事の多くは、時間でする仕事ではない。成果、つまりアウトカム（成果）でその良し悪しが評価される仕事なのである。

いま、高度なプロフェッショナルには、時間で計るブルーカラー的なスタイルをエグゼンプトする、つまり適用しない制度が進められようとしている。ホワイトカラーエグゼンプションと呼ばれ、労働時間ではなく、成果で賃金を定める制度である。この制度が適用される人々には残業代は支払われない。

これに対して一部の人々は、残業代ゼロになるというレッテルを貼り、強く反対している。しかし、考えてみれば筆者のような学者・研究者には残業という概念はもともと存在しない。残業という概念がない人に、残業代がゼロだから問題だ、と言っても意味はない。

２０１８年に70年ぶりに改正された労働基準法*には、新たに高度プロフェッショナル制度が盛り込まれた。働く時間の上限設定、年間１０４日以上の休日取得などいくつかの条件が設けられているが、柔軟な働き方を目指しているという点では評価できる。しかし、あまりに強い制約が付けられた制度となっている。時間ではなく労働の成果を条件として、柔軟に、自分のペースで働ける人々が、将来的にもっと増える社会になって欲しいと考えている。

労働基準法の改正
「働き方改革関連法」の関連で、２０１８年に改正され、２０１９年４月１日から施行。

人生１００年時代の働き方

特に若い世代には新しい働き方を提供しなければならない。「LIFE SHIFT（ライフシフト）――１００年時代の人生戦略」（リンダ・グラットン、アンドリュー・スコット）がベストセラーになっているように、私たちは人生１００年時代を迎える。これからの時代は、現在の50代、60代以上の世代が歩んできた人生とは異なるものになる。従来世代の人生はある意味単純で、約20年間勉強して一人前になり、約40年間働き、その後の20年間前後の老後を過ごせばよい、というものだった。

しかし、人々がふつうに１００歳、１０５歳まで生きる時代が到来すれば、ほとんどの人は、少なくとも90歳前後までは働かなければならないだろう。そうなると、約20年間の学習の蓄積だけで、その後の70年間を働き続けることには無理が生じる。70年の間に科学技術は進歩し、様々な社会システムも変遷していく。新たな知識を獲得しなければ、時代から取り残されてしまう。約20年間勉強して、15年間働き、再び4年間勉強する。その後15年間働き、今度は2年間ほど勉強する。このような多段階の生き方が必要になってくるはずだ。

このような社会で、終身雇用、年功序列という制度は意味をなさない。例えば、社員の一人が、専門性を高めるために夜間の大学院に行っているとする。いざ、大学に行こうとしたとき、上司から残業をして欲しいと言われたら社員はどう対応するだろうか。今日は大学院の授業があるので大学に行きますが、命じられた仕事は土日でやっておきますと対応したなら、労働を単純に時間で計ることはできなくなる。アウトカムつまり成果によって仕事の良し悪しを、そして労働の対価を計らざるを得ない。つまり、高度プロフェッショナル的な労働を積極的に認めていかないと、時代に対応できなくなるのである。

課題となる評価方法

時間ではなく成果で労働を評価する時代になると、評価の方法が課題となる。日本の企業では、しばしば「報連相《ほうれんそう》」という言葉が使われる。報告、連絡、相談のことだが、この言葉を重用している会社は基本的に駄目な会社だと思う。その都度上司に伝え、相談していたのでは、自立した社員は育たない。社員は自分で考え、判断して成果へと繋げる。その成果について上司が合理的に評価する。そういう働き方のスタイルに変えていく必要がある。

成果を評価する場合は、例えば部長、課長、社員の三者で行う。社員は、課長の評価が不満の場合は課長と徹底的に議論する。部長はその議論の様子から、どちらの言い分に理があるかを判断し、課長の能力を評価する。自分の評価能力が問われるため、課長もいい加減な評価はできなくなる。部長は担当部署の実績で評価されることになる。

しかし、実際には人の評価はそう簡単なものではない。同じ人物でも会社によって評価が異なることがあるだろう。そういう意味で、終身雇用に頼って同じ会社で働き続けるのではなく、自分をより高く評価してくれる会社に移れる自由が大切になる。

兼職ＯＫ、金銭解雇ルールの確立

新たな働き方では、兼職も認めるべきだ。多段階のライフステージが前提となっている社会では、一つの会社に留まることがベストの選択とは言えない。兼職している仕事の方が面白いと思えば、そちらの会社に移っても何ら問題ない。兼職に関しては、法律の課題ではなく企業側の経営判断の問題であり、企業が兼職を認めればよいだけである。しかし、当然のことながら、守秘義務を守ることや利益相反《そうはん》行為の禁止など、厳格なルールを設ける必要がある。

それともう一つは、金銭解雇のルールをつくることだ。雇用者と労働者の力関係は、明らかに雇用者の方が強い。社員一人ひとりが個別に会社と交渉しても勝ち目はない。そのため、労働者には団結権が認められている。賃上げや労働条件について団結して交渉し、交渉の進捗状況を見て、ときにはスト権を行使して闘う。しかし、それでも問題が解決しない場合も多い。解雇問題などでは、どうしても、最後は金銭で解決せざるを得ない局面が出てくる。ところが、日本には金銭による解雇のルールがない。ＯＥＣＤ諸国の中で、金銭解雇のルールがないのは、日本と韓国だけである。金銭解雇のルールがないため、例えばある社員が解雇された場合、力のある労働組合は闘い、解雇を撤回するか、無理な場合はそれなりの金銭補償を得ることができる。しかし、組合の力が弱い中小企業の労働者は泣き寝入りすることが多い。明らかに不平等である。また、民事裁判だけでなく、労働委員会によるあっせんや、労働審判でも金銭補償による解決が主流となっている。しかし、金銭解雇のルールがないため、補償金の金額には大きなばらつきが見られる。

金銭解雇のルールを制定しようという意見に対しては、労使合意による解決が大事であるとか、企業のリストラの手段として使われる可能性があるなどの反対意見がある。極端な場合、「カネで首を切ってよいのか」といった議論にすり替えられる。しかし、金銭解雇の良し悪しではなく、やむを得ず金銭解雇を行う場合に、公平で透明なルールがないことが問題なのだ。金銭救済制度は、労働者救済の選択肢の一つとして認められるべきだ。民事裁判や労働審判の例のように、やむを得ず金銭で解決しなければならない事例は多い。金額の水準をどうするかなど十分に検討したうえで、金銭解雇のルールを制定することは、これからの労働を考えるうえで実現しなければならない日本の宿題と言える。

定年制を廃止せよ

働き方改革と密接に関連するのが定年制*の問題である。

人生100年時代と言われるいま、定年延長が課題となっている。かつては五五歳定年が主流であった。銀行など大企業の場合、50歳前後になると、役員クラスで会社に残る人以外は関連会社などに出向させられ、出向先で定年を迎えた。

定年制

1971年に「中高年齢者等の雇用の促進に関する特別措置法」が制定。

1986年に題名が「高年齢者等の雇用の安定等に関する法律」（略称・高齢者雇用安定法）と改称され、60歳定年が努力義務になる（同年10月1日施行）。

2004年の改正で（2006年施行）、65歳までの雇用を確保するための措置（高年齢者雇用確保措置）の導入が義務づけられた。

2012年の改正では（2013年施行）、企業に、希望者全員の65歳までの継続雇用制度の導入を義務づけた。

それが現在は65歳定年の企業が増えている。早い時期に70歳定年の時代が訪れるだろう。

日本の高齢者にいつまで働きたいかと質問すると、70歳ぐらいまでは働きたいと答える人が多い。働き続ける理由で多いのが、健康のためである。高齢となっても、社会との接点を持ち、社会に貢献していくということは大変重要なことだ。しかし、70歳まで働きたいということと、同じ会社で70歳まで働くこと、つまり会社が雇用しなければならないこととは、まったく別の問題である。70歳まで何らかの形で働けるということが重要であって、一つの会社に70歳までの雇用を義務づければ、終身雇用と年功序列がまだ支配力を持っているような日本の企業は、大きな困難に直面するだろう。

それではどうすればよいか。最もわかりやすいのは、定年制度を廃止することである。

定年は解雇の唯一の口実となっている

定年制を別の角度から見ると、定年が解雇の唯一の口実となっているという事実が浮かび上がる。

日本では、企業は簡単に社員の首を切れない。解雇闘争に関する重要判例の一つとして、東洋酸素事件がある。1970年、東洋酸素（当時）は不採算部門を閉鎖するために、その部門の社員全員に解雇（整理解雇と言われる）を通告した。このことが裁判で争われ、地裁で解雇無効、控訴審の高裁では解雇有効（東京高裁1979年10月29日判決）となった。解雇は有効となったが、裁判では整理解雇の四つの要件が示され、整理解雇を行うには四つの要件すべてを満たす必要があるとされた。四つの要件は大変厳しく、すべて満たすのは極めて困難である。

この判例の影響は大きく、企業は経営が厳しくなっても、社員をリストラするには相当の覚悟が必要となる。訴訟となった場合、四つの要件を満たして訴訟に勝つ可能性は限りなく低いからである。解雇はしなかったが、結果的に会社自体が倒産してしまうという事例が出てこないとも限らない。従業員の解雇は、そう簡単にはできないのである。

こうした状況下で、定年という制度は堂々と解雇できる唯一の口実となっている。もっと厳しく言うと、定年は、年齢によるディスクリミネーション、差別的取り扱いである。人権の観点からも、厳密には非常に問題がある。例えば、70歳近い人が50歳の人と同じ能力を持っていたとしても、70歳になると会社を辞めなければならない。能力は人によって異なるし、努力によっても大きな差が生じる。それを一律に年齢で扱うこと自体、本来大きな差別である。

現実的には定年制に柔軟に対応し、理想的には廃止する

定年をなくすか、もっと柔軟に定年に対応するかが課題である。終身雇用、年功序列制度により、企業は自社で社員教育を行ってきた。そのことにより社員の能力が向上してきたことも事実である。一つの考え方として、40歳定年制という考え方がある。正確に言うと、今の制度では定年制を採用するなら65歳以上であることが求められるが、これを40歳とすればよい。40歳まではいままでの日本の雇用形態のよいところを生かす。会社は40歳で雇用をいったん打ち切る。社員は自ら自己の経験と実力を判断し、自由な働き方を選択する。他社に移っても構わないし、自分で会社を起業しても構わない。もちろん同じ企業で働く道を選んでもよい。雇用を打ち切った企業側も再雇用を確約する必要はない。再雇用するかどうかは、能力・経験などから総合的に判断し、自由に決めてよい。定年制度にもっと柔軟に対応し、理想的には定年制を廃止する。

現状のまま定年制を維持したり、さらに定年年齢を上げようとしたりするのは好ましいことではない。いま、公務員の定年年齢を上げようという動きが出ている。終身雇用、年功序列制度を最も忠実に守ってきたのが公務員である。働き方改革は、役所の働き方そのものを改革することと無関係ではない。改革の流れに逆行するような制度変更を国が率先して採用するのは、好ましいとは思えない。

少し話題は外れるが、年功序列の典型が国家公務員のキャリア制度である。この制度は年功序列だけでなく、卒業大学・学部と試験結果が極端に重視され、その後の努力が十分評価されない、ゆがんだ制度である。私は、金融担当大臣時代、不良債権の処理を進めるために公認会計士や弁護士など数多くの専門家に霞が関に入ってもらった。彼らは非常に優秀なスタッフだったが、キャリア制度のもとでは、十分に高い地位にはつけない仕組みになっているため、局長以上の立場にはなれなかった。能力が外部スタッフのほうが上でも、必ずキャリア局長の下のスタッフとして扱われた。この不平等なキャリア制度を見直すのは、喫緊の課題である。アメリカの政府ではキャリア制度などない。年齢による差別もないし、国家公務員試験という試験制度もない。日本の高級官僚にあたる職員は、アメリカの場合、大統領が代われば約3000のポストが入れ替わる。日本の官僚の働き方は、民間の働き方以上に独特の歪みを持つものとなっている。

提言

一、終身雇用・年功序列こそが正しい働き方であるという前提を解消し、自由な働き方と自由な雇い方を認める。労働者間の制度的差別をなくし、同一労働同一賃金を実現する。

二、時間ではなく成果で評価する働き方の拡充、金銭解雇のルールづくり、定年制の見直しなど、残された改革を急ぎ実現する。

移民法（外国人労働法）をつくる

海外の人材を活用して発展してきた日本

読者の方々は「移民」と聞くとどのようなイメージを思い浮かべるだろうか？一般に、日本人は「移民」という言葉に独特の嫌悪感を持っているようだ。1888年に奴隷制が廃止となり、労働力不足となったブラジルでは、ヨーロッパを中心に数多くの移民を受け入れるようになった。1908年以降、日本からも家族ぐるみで数多くの日本人が、移民としてブラジルへ渡った。そのような歴史を持っているにもかかわらず、移民への警戒感からか、日本では長い間、政策として移民について正面から論じることは避けられてきた。

日本は昔から、外国人の助けを借りて、つまり外国のヒューマンリソースの助けを借りて様々なことを成し遂げてきた。

古来、日本は大陸から学問や技術、政治制度など様々なものを取り入れた。古墳時代には仏教がもたらされ、奈良時代から平安時代にかけて国家の基本に据えられた「律令制」のモデルは隋、唐の制度である。そして、これらをもたらしたのが渡来人である。日本最初の私立大学となった慶応義塾大学開設の際も、ハーバード大学の教授に来てもらっている。外国の優れたヒューマンリソースを活用するということはどこの国でもやっているし、日本でもやってきたことなのだ。

それにもかかわらず、移民というと、一部の人たちはアレルギー反応を示す。移民が増えると犯罪が増える、日本は単一民族なので移民はなじまないなど、先入観にもとづいた的外れな批判をする。日本は多様な民族を受け入れて文化を築いてきた国家なのである。

経済成長と移民

経済成長の観点から見ても、移民は重要な役割を果たす。アメリカやオーストラリアでは、経済の発展を考えるとき、まず移民を議論する。人の数が増えれば、そのぶん経済は成長する。建国以来、移民を受け入れてきたオーストラリアは、近年、スキルを重視した移民政策を徹底し、成功を収めている。しかし、日本では移民についてタブー視され続けてきた。

　気がついてみると日本の2019年の総人口は、1990年とほぼ同じである。少しずつではあるが増加していた人口は、2008年から減少に転じた。*生産年齢人口は、既に1995年以降減少し始めている。過去30年を振り返ると、アメリカの人口は約32%、イギリスは約16%も人口が増えている。これらの国は、グローバルゼーションの時代に、海外のヒューマンリソースをいかに取り入れるかという競争をやってきた。それに背を向けてきた日本は、ここにきて極端な人手不足に陥ったのである。

　確かに、2008年に発生したリーマンショックのあと、経済は落ち込み、労働需要も落ち込んだ。労働需要は派生需要である。企業は人を雇うために存在しているのではなく、付加価値を生み出して利益を生むために存在している。付加価値を生み出すために人を雇わなければならないから、労働需要は派生的に発生するという意味だ。つまり、経済が落ち込めば労働需要も落ち込むことになる。

　しかし、リーマンショック後の約10年間、世界経済はゆるやかではあるが回復

生産年齢人口の減少
　生産年齢人口（15歳〜64歳）は1995年の8716万人をピークに減少に転じ、2015年は7595万人で、20年間で約1100万人も減少している。総人口も2008年以降、減少の一途をたどっている。2050年には総人口が9708万人、生産年齢人口は5001万人になると推計されている（総務省資料）。

図6：アメリカ・イギリス・日本の人口推移

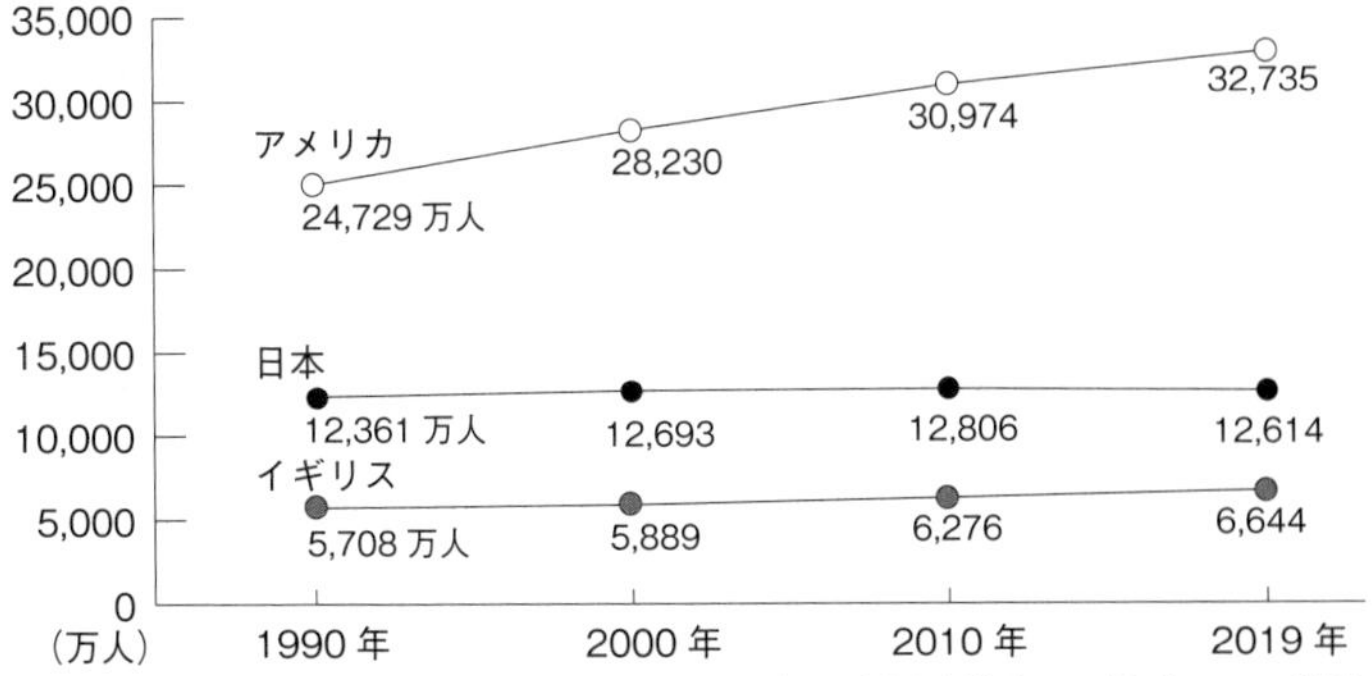

＊日本は国勢調査及び総務省推計人口【出典：IMF 統計】

図7：アメリカ・イギリス・日本の移民・在留外国人の総人口に占める割合の推移

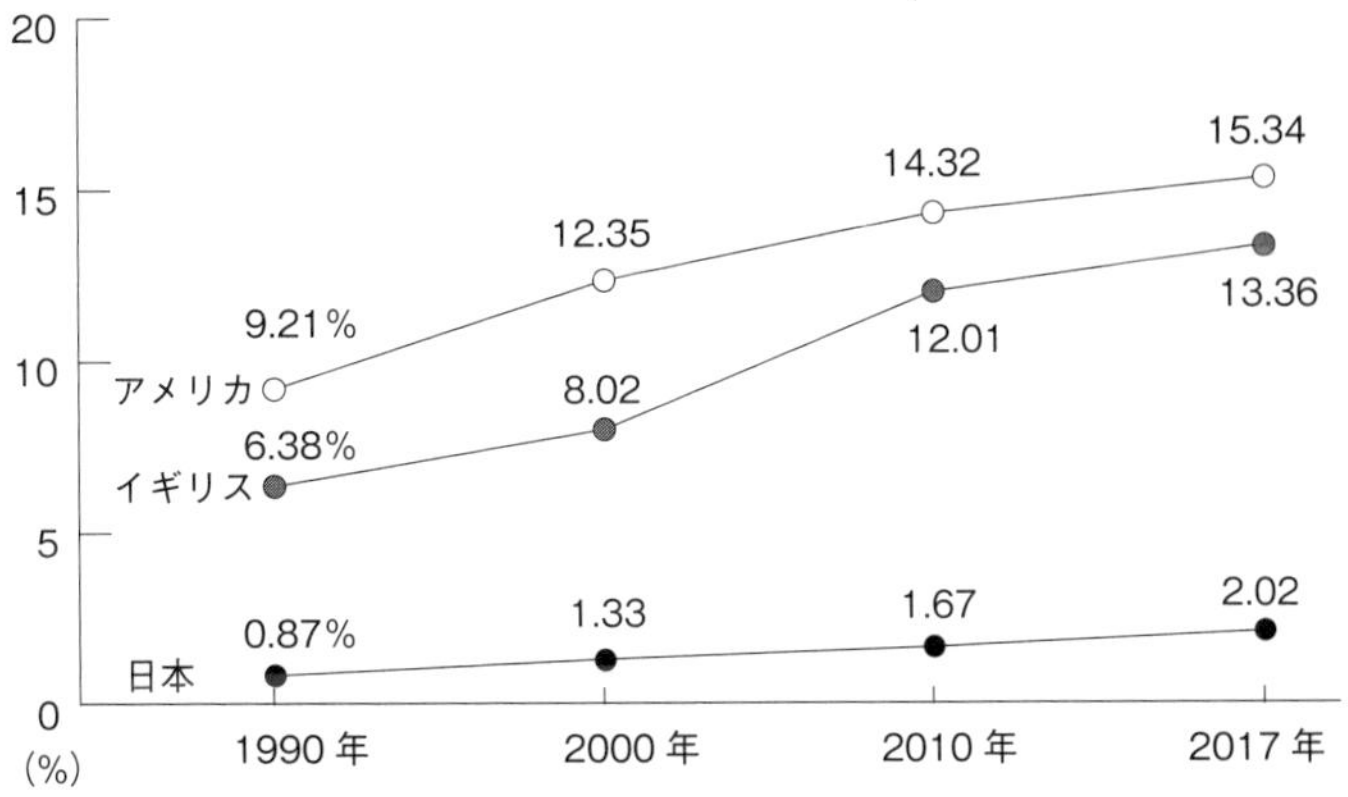

＊日本は総人口に占める外国人登録者数・在留外国人数の割合【出典：国連統計ほか】

の方向に向かい、拡大してきた。対策をしてこなかった日本は、いま極端な人手不足の状況となっている。

2019年1月時点で、失業率は2・5％（季節調整値）、有効求人倍率は、リーマンショック後、0・5程度の水準にまで落ち込んだが、全国平均で1・63（季節調整値）まで上昇している。有効求人倍率はすべての都道府県で1を上回り、極端な人手不足になっている。

改正入管法の成立

この状況を打開するため政府は、外国人を受け入れる方向に舵をきり、2018年11月に出入国管理法改正案*を閣議決定し、国会へ上程した。出入国管理法改正案は、12月に国会で成立した。

興味深いのは、いままで移民受け入れに反対してきた建設業界や農業分野の族議員たちが、人手不足が深刻なあまり、政府を突き上げるような形で、外国人の受け入れに積極的に動いたことである。このように皮肉な形で、外国人の受け入れは少し前進したのである。

出入国管理法の改正
正式名称は「出入国管理及び難民認定法及び法務省設置法の一部を改正する法律」。

図８：改正入管法の概要

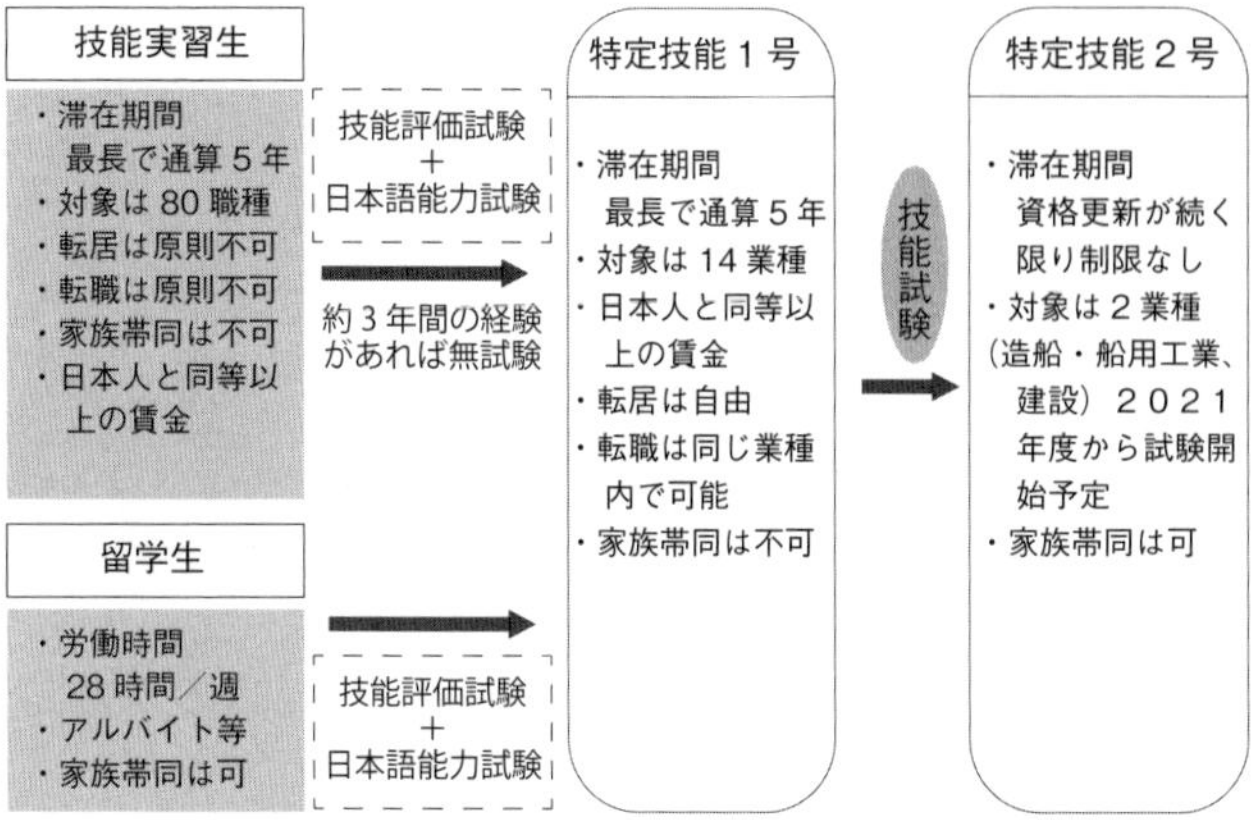

課題の多い改正入管法

しかし、今回の法律改正は出入国管理法（入管法）の改正である。つまり、国境をまたいでいいとか、どういう資格で受け入れるかという話である。どういう資格の外国人に来てもらい、どういう待遇で処遇し、どの程度のケアをする必要があるかという議論が十分なされていない。

形式的なことを言えば、入管法は法務省が管理している法律である。外国人労働法のようなものを制定するなら、これは厚生労働省の仕事となる。本来なら厚生労働省が外国人労働について問題意識を持って対応し、包括的な法律をつくるべきなのだ。それが、とりあえず外国人を受け入れろということで、入管法の改正で進められている状況は、非常にシンボリックで急ごしらえの対応といえる。

いっぽう、日本には技能実習法*にもとづく技能実習生という制度がある。この制度は妙な制度で、発展途上国の経済発展を担う人材の育成を目的としている。日本が援助して途上国の人々に技術を授けましょうという、いわば援助の発想である。しかし、趣旨に反し、労働力不足を技能実習生で補ってきたのが実態である。明らかに建前と本音が異なる制度だ。このような制度はおかしいということを筆者らは指摘してきたし、海外の有識者からも好ましい制度ではないという指摘がなされている。技能実習生の中には、違法な労働環境を強いられる者もおり、様々な不合理な状況も発生していた。それにもかかわらず、人手不足に対応するため、技能実習生の枠を広げたり、期間を延長したりしてごまかしてきた。労働力不足を補いたいのが本音なのに、途上国に技術的な面で援助しますよという建前で進めてきたのが、この制度である。

政府の政策の整合性が問われる。技能実習制度の課題を残したまま、人手不足

技能実習法と技能実習生

外国人が日本で働くには就労が認められた在留資格が必要となる。今まで、単純労働に従事できる在留資格は、日本人と結婚しているなど一部の例外を除き、技能実習法にもとづく技能実習生だけであった。しかし、この技能実習制度は、「我が国で開発され培われた技能、技術又は知識の開発途上国等への移転を図り、その開発途上国等の経済発展を担う〝人づくり〟に協力することを目的とする」制度である。実態とはかなりかけ離れているが、建前では「人手不足を補うための制度です」とは言っていない。

図9：国籍別外国人労働者数の割合＊

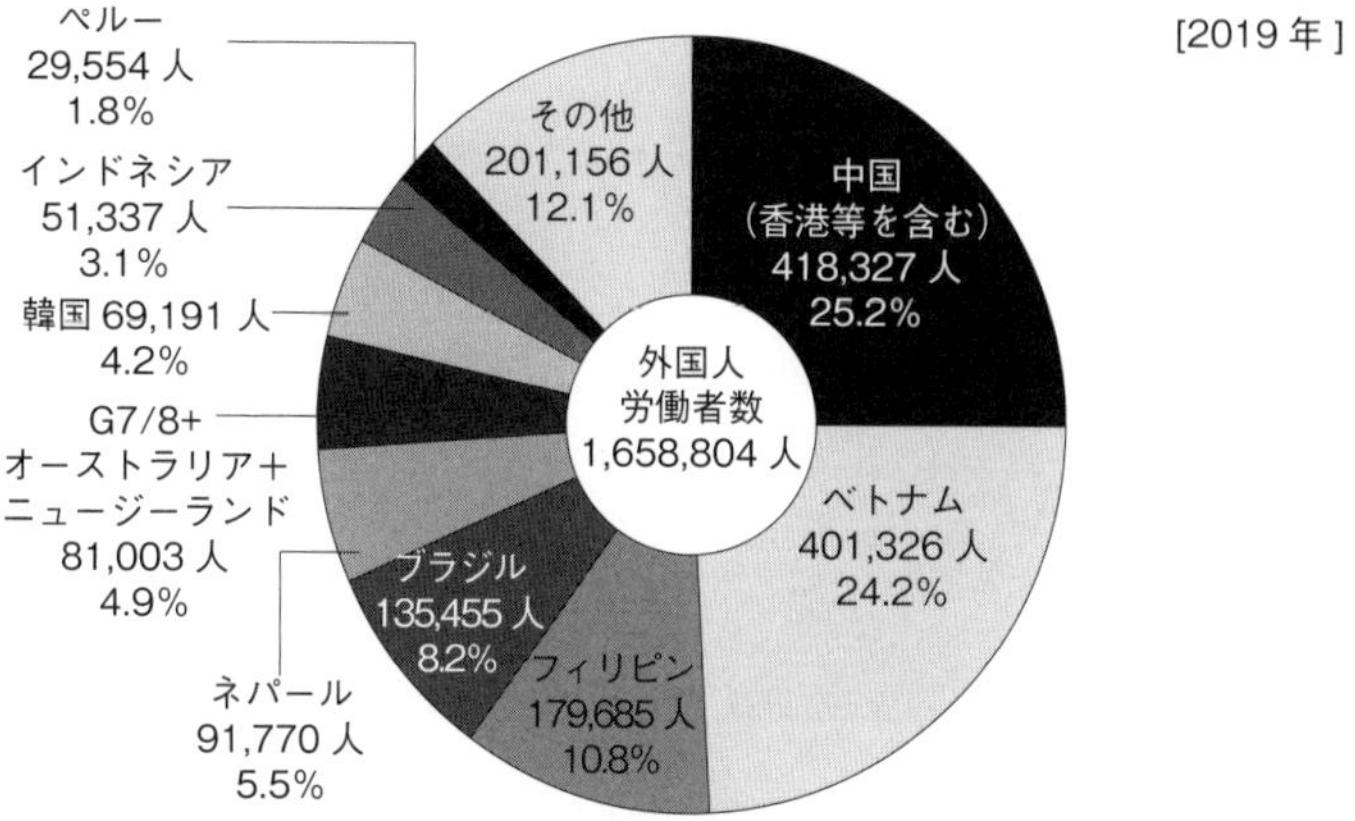

[出典：厚生労働省「外国人雇用状況」の届出状況のまとめ（令和元年10月末現在）ほか]

図10：国籍別・在留資格別外国人労働者数の割合

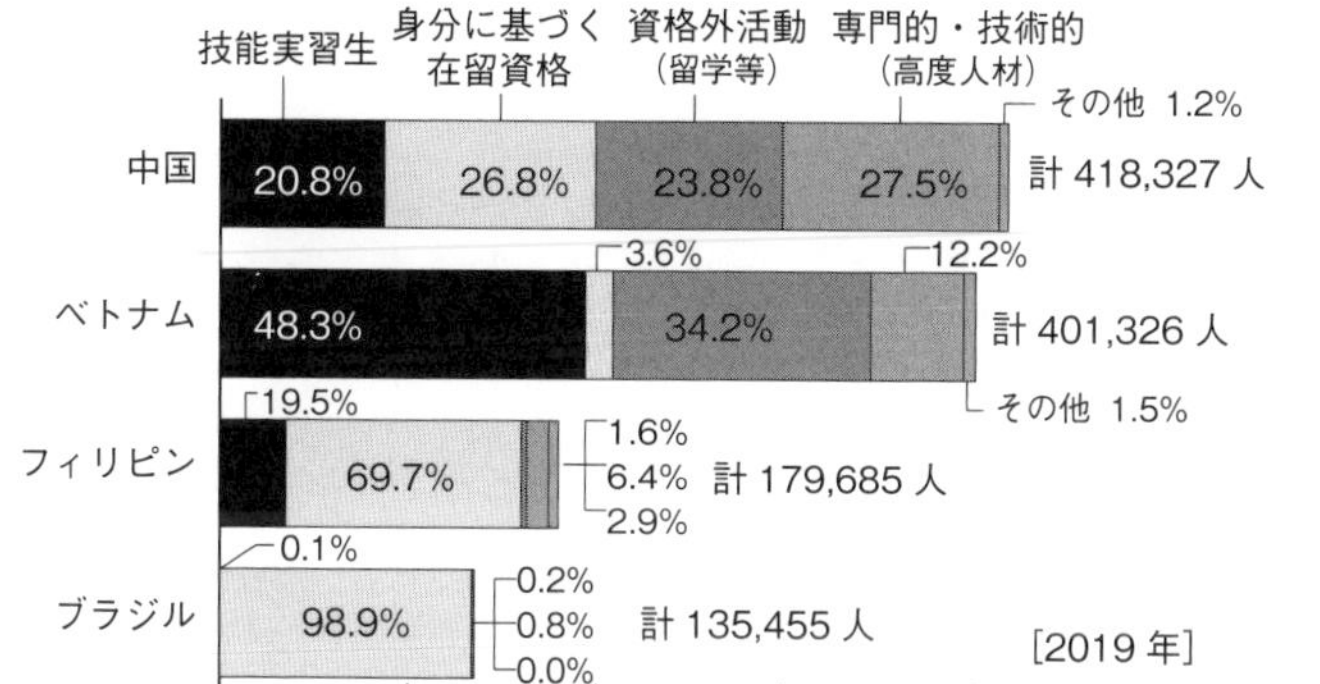

[出典：厚生労働省「外国人雇用状況」の届出状況のまとめ（令和元年10月末現在）ほか]

日本で働く外国人労働者

２０１９年10月末現在、日本で働く外国人労働者数は約１６６万人である。外国人労働者は在留資格によって次のように分類される。

①専門的・技術的分野、②特定活動（外交官等に雇用される家事使用人など）、③技能実習生、④資格外活動（留学など）、⑤身分に基づく在留資格（永住者、日本人の配偶者等）。

図 11：在留資格「技能実習生」の国籍別推移

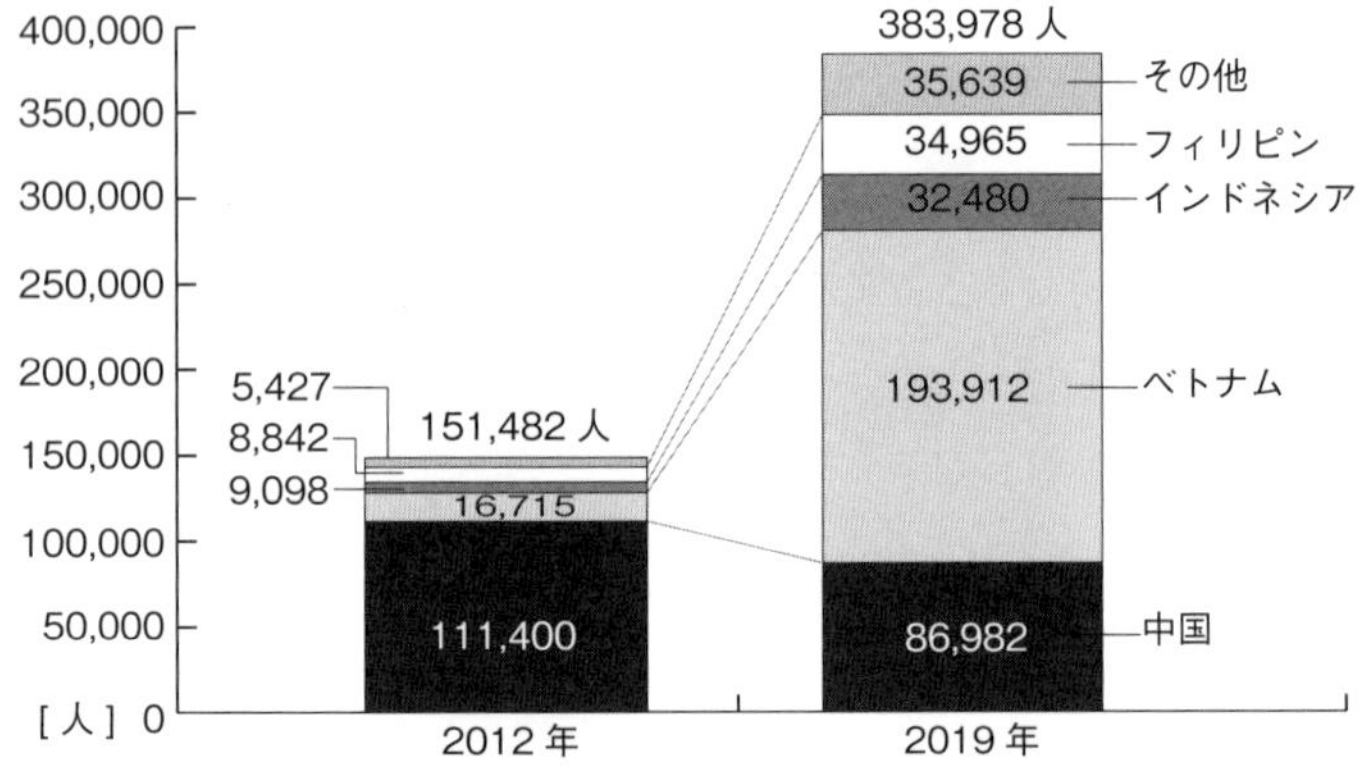

[出典：厚生労働省「外国人雇用状況」の届出状況のまとめ（令和元年 10 月末現在）ほか]

だから新たな外国人を受け入れようというのが、今回の入管法改正である。

成立した改正法に対しては批判が多い。大枠だけを決めて、具体的な法律の中身は政令や省令で議論することになっている。とにもかくにも人手不足を解消したいという思いのみが先行した感がある。

移民受け入れで大切なことは

外国人労働者の受け入れに悩んでいるのは、日本だけのことではない。世界各国が苦労しており、日本としてはそのベストプラクティスをうまく取り入れるべきだ。

キューバ生まれのプリンストン大学の社会学者ポルティス教授は、移民をテンポラリー・イミグレーションとパーマネント・イミグレーションという概念で使い分けている。テンポラリーは出稼ぎなどの一時的移民で、パーマネントは恒久的移住を前提とした移民である。日本では、恒久的移住を目指す外国人のみを移民と呼んできた。政府は、今回の入管法改正により日本にやってくる外国人は移民ではない、と強調している。日本人の移民アレルギーを意識した対応といえる。政府は、とりあえずテンポラリーが必要という判断である。

筆者らは、テンポラリー・イミグレーションとパーマネント・イミグレーションを明確に区別し、どういう人をどういう条件で受け入れ、どのように管理していくかという包括的な枠組みの「移民法」あるいは「外国人労働法」を制定することが重要だと考える。国会において野党は、政府は移民を認めるのかどうかという観念論を展開した。このような議論は為にするものでほとんど意味はない。

重要なことは、冒頭で述べた「日本は外国人を受け入れてうまくやってきた国である」ということを再認識することだ。戦後のプロレスの大スター「力道山」は北朝鮮から、王貞治のお父さんは台湾から、いま産業界や芸能界で活躍している人たちの中にも海外から来た数多くの人たちがいる。堺屋太一氏によると、元禄時代、最も日本的な「忠」を貫き、名誉を守ろうとした赤穂浪士の一人、武林《たけばやし》隆重《たかしげ》の祖父は、中国・明の人である。こういう人たちとともに、今の日本がつくられてきたのである。

もう一つ外国人が働くという点で考えておかなければならないことは、日本の制度が外国の制度とハーモナイズしていないという側面が、浮き彫りにされることである。その典型が所得税だ。日本は累進税の税率が非常に高く、高額所得者は収入の半分以上が税金として徴収される。所得税の最高税率が約17％の香港と、住民税を入れると最高税率約55％の日本とで、どちらで働きたいかと問われたなら、回答は明らかである。これでは、誰も日本に来たいとは思わないだろう。そうなると高度外国人材を確保することが大変難しくなる。第4次産業革命が進行する現在、ＡＩやブロックチェーンなどの最先端技術の開発や東京の金融センターとしての機能強化など、喫緊の課題が山積している。これらの課題に対応するためには、海外からの高度な人材の確保は必須である。その時、税制の問題がネックになる。日本に住むと多額の税金を徴収されるのでは、進んで日本に来る人材はなかなか現れないだろう。

また、外国人労働者の増加にあわせて、教育、医療などの制度も整えていかなければならない。子供をどこで学習させるのか。共通語の英語で教育を受けられる幼稚園や小学校がいくつあるだろうか。大学ですら厳しい状況である。医者にかかる際、英語でコミュニケーションできる医院はいくつあるだろうか。例えば事故があって救急車に乗った時、英語が通じないのでは大変困ることになる。いま、そういう社会全体の改革が求められている。

移民が増えると犯罪も増える？

移民で必ず問題となるのは、犯罪が起きやすくなるという点である。確かにトルコなどから大量の移民を受け入れたドイツなどは、経済が停滞すると、そうした人々が失業し、治安が悪化するという事態が起きてきた。

しかし、移民が多くても治安を保っている国もある。わかりやすい例としてシンガポールがあげられる。シンガポールの人口の約37％は移民である。にもかかわらずシンガポールの犯罪率は東京よりも低い。実は、東京の犯罪率はそんなに低くはない。近隣諸国では、ソウルだけが東京よりやや高いが。上海、北京は東京よりも低い。日本は純粋な大和民族だけの国で、その結果として犯罪率が低いという誤解を解く必要がある。

いずれにしても今回の入管法の改正により、外国人労働者が今まで以上に日本で働ける状況となった点は、一つの成果と言える。しかし、これはほんの始まりである。早いうちに包括的な移民法なり外国人労働法というものを制定し、基準を明確にする必要がある。受け入れる基準を明確にするということは、一方で不法移民を取り締まる基準も明確にするということでもある。そのためにドイツでも韓国でも移民法を制定したわけであり、日本の場合、移民法がないことにより、つまり包括的な枠組みがないことによって、逆に不法移民の問題が生じる可能性があるのだ。

提言

一、日本は外国人を受け入れて国を発展させてきたという歴史的事実を認識し、本格的な移民法（外国人労働法）を制定する。

日本の宿題13

脱原発を実現する

膨らむ原発事故の処理コスト

2019年3月、公益社団法人「日本経済研究センター（日経センター）」は、福島第一原発事故にかかる処理費用が最終的に70兆円近くになるという試算を発表した。汚染水の増加によっては、80兆円を上回るとも指摘している。さらに2050年までの処理費用だけでも35兆円はかかるとしている。2016年末に事故処理の費用は21・5兆円と発表していた経済産業省・資源エネルギー庁は、日経センターの発表にあわてたのか、2週間後に日経センター試算への反論を発表した。日経センターの試算は国の方針とは異なる独自の仮定に基づいていて、さらに一部に事実誤認があるというのが彼らの主張だ。

はたしてどちらが正しいのかは、今後の推移を見ないと現時点では何とも言え

図12：日本の電源構成

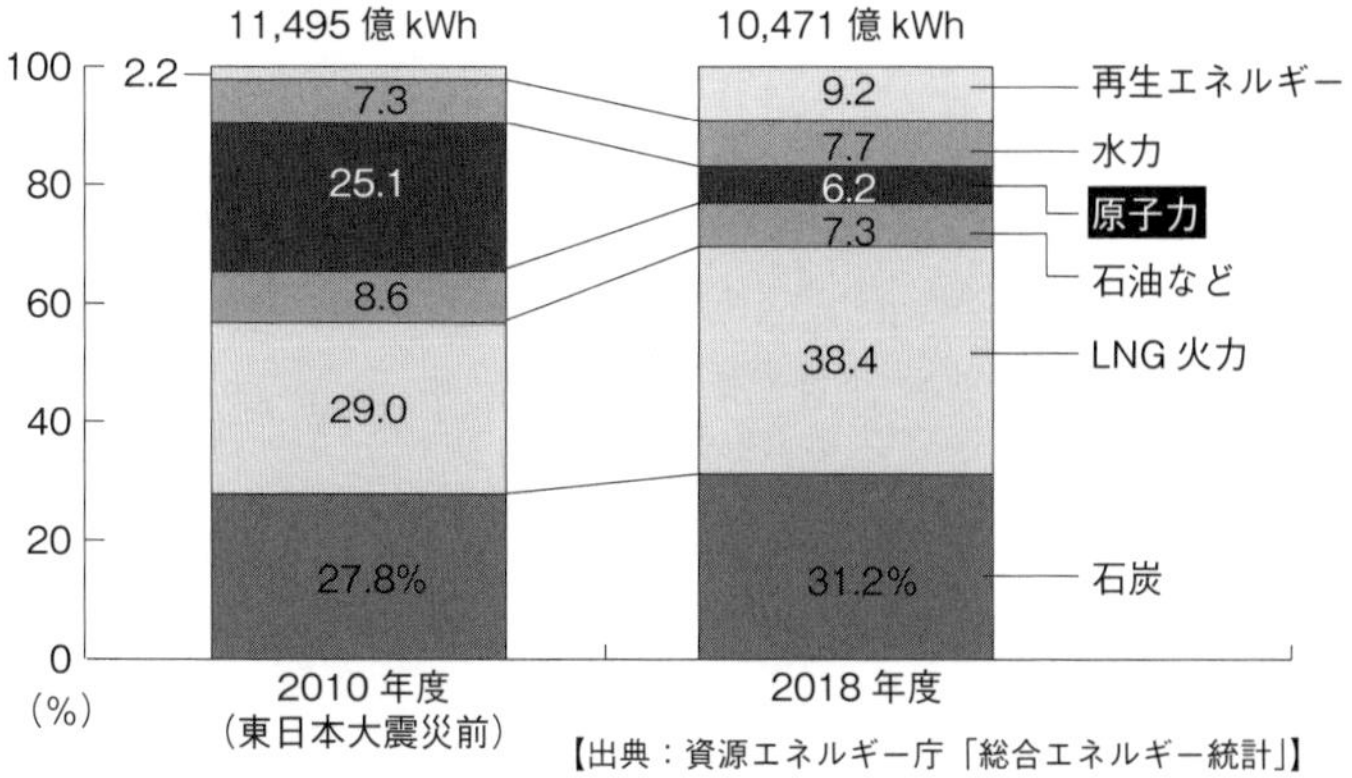

【出典：資源エネルギー庁「総合エネルギー統計」】

ない。しかし、処理コストが21・5兆円でも大変な額なのに、その3倍もかかるという報告は、政府の肝を冷やすのに十分だった。当局は、東京電力が破たんしないレベルに処理コストを抑え、その費用を電気料金に上乗せして回収し、現在の体制をなんとしてでも維持したいと考えているようだ。

背景には、既に原発が一つのビジネスとして、社会に定着しているという事情がある。電力会社は地域経済の中心だ。地域経済界とのつながりは強く、地域の企業との取引関係をないがしろにすることはできない。もし原発が廃炉になれば、地域の産業界にとっては大きな痛手となる。企業や地域で原発を維持したいと言っている人々は、決して論理的に言っているのではない。様々なしがらみが、そう言わせているのだ。

２０１９年10月に、福井県高浜町の元助役が、関西電力の幹部に3億円もの金品を贈っていたことが明らかになったが、こうしたニュースが問題の本質を示唆していよう。

政府のエネルギー計画…原発依存度を逓減、それでも20パーセント強

２０１８年7月、政府は第5次エネルギー基本計画を閣議決定した。基本計画は、２０３０年に向けては、電源構成のあるべき姿を示す「長期エネルギー需給見通し（エネルギーミックス）」の確実な実現に向けた取り組みを、２０５０年に向けては、エネルギー転換・脱炭素化に向けた挑戦を掲げている。

しかし、原発に関しては微妙な表現となっている。「依存度を限りなく逓減」し、「安全最優先の再稼働」を行い、「２０３０年度（には電源の）20から22パーセント」をまかなうとしている。どうも政府の言っている「限りなく低い依存度」とは20パーセントあたりのようだ。原発事故が起こる前年の２０１０年度の原発依存度

図13：エネルギーミックスによる2030年度の日本の電源構成

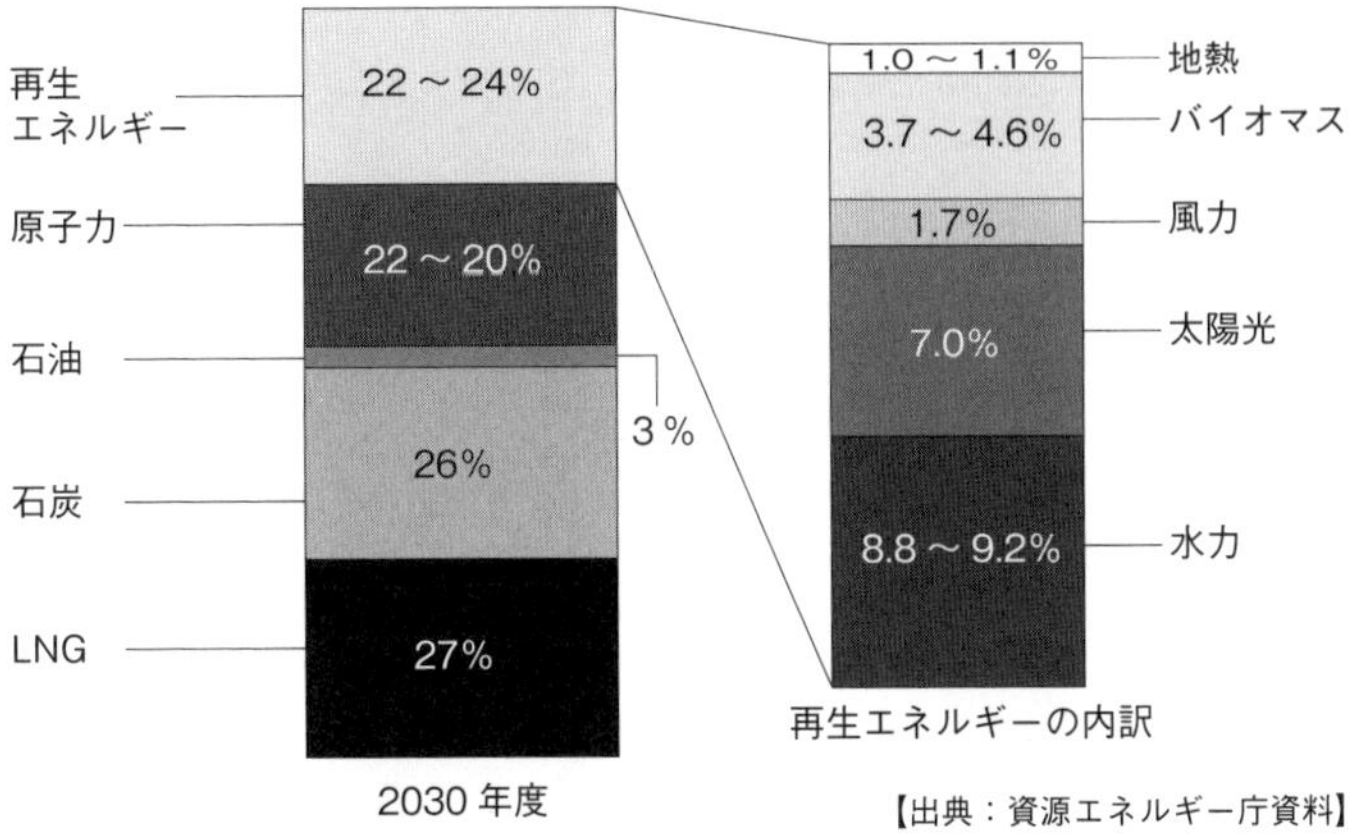

【出典：資源エネルギー庁資料】

は25・1パーセントだから、政府にとっては確かに低い依存度なのだろう（ただし2017年度の現実の原発依存度は3・1パーセント）。要は、原発のコストに正面から向き合わず、なし崩しで継続・拡大していくということである。それにもかかわらず、再稼働は遅々として進まず、更新や、まして新増設の見通しなど何ら示されていない。原発事故が起きた2011年以降、経産省・資源エネルギー庁は、原発に関してきちんとした判断ができない状態に陥っているのだ。

原子力発電のコストが最も安いという誤った宣伝

長い間、日本政府が言い続けてきたのが原発の発電コストの低さだ。原発の発電コストはすべての電源で最も低く、もし原発を廃止して全部再生エネルギーなどに転換すれば電気料金は格段に高くなる、というのが政府の言い分だった。しかし、政府の試算の問題点は、資源価格の変動や処理費用のさらなる増加、原子力発電所の莫大な建設費などが考慮されていないことだ。

資源価格の変動に関していえば、例えば天然ガスの価格は、２００３年ごろまでは安定していたが、その後上昇を続け、２０１４年以降は低下し、２０１６年には再び上昇している。日本の火力発電全体の7割にＬＮＧ（液化天然ガス）が使用されている。つまり、どの時点での数値を試算に採用したかで、火力発電のコストは大幅に変化してくる。

また、技術の進歩や普及により風力や地熱、太陽などの自然エネルギーを利用した発電の電気料金は着実に低下している。そのような現状についても無視している。

図14：アメリカの発電電力量の変化

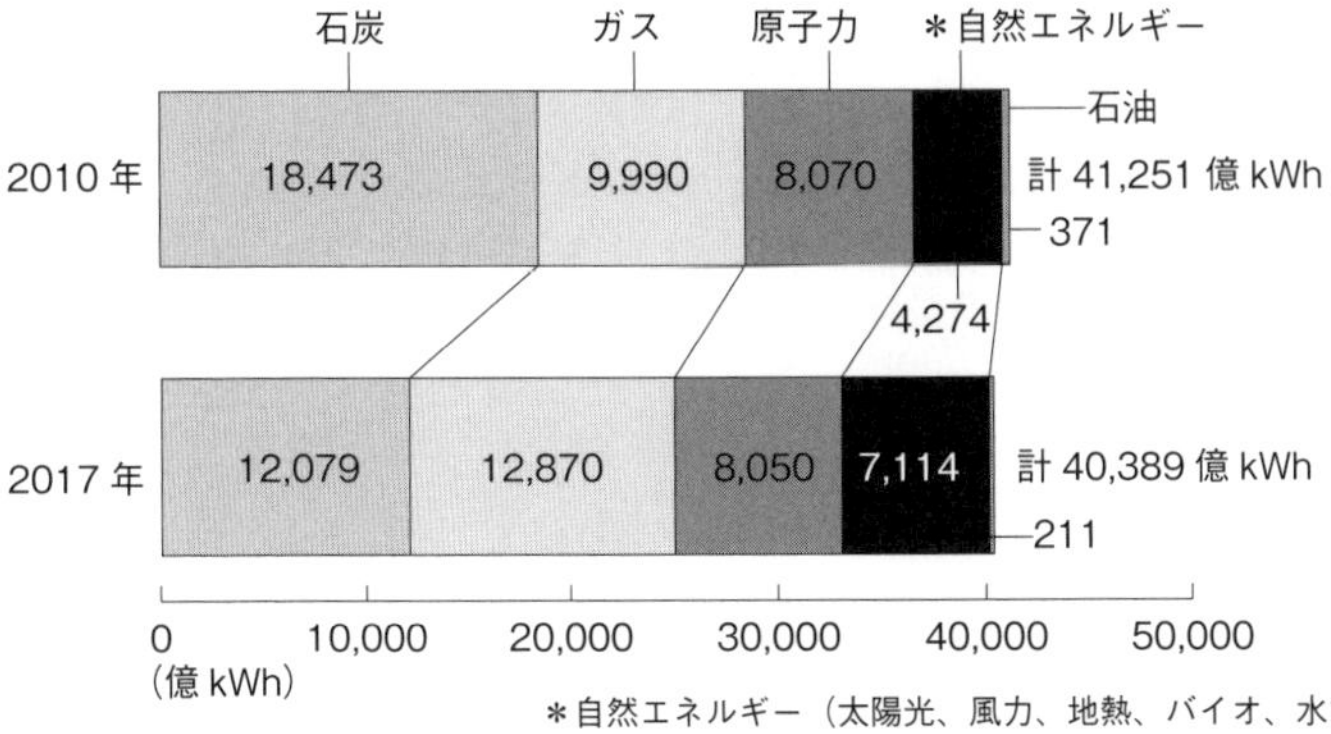

＊自然エネルギー（太陽光、風力、地熱、バイオ、水力）
【出典：U.S.Energy Information Administration 資料】

アメリカで起きている電力革命

アメリカでは、太陽と風力を中心とする自然エネルギーによる、新たなエネルギー革命が起きている。２０１７年には、アメリカの自然エネルギーの発電電力量は７１１４億ｋＷｈに達し、原子力の８０５０ｋＷｈに匹敵するまでになった。２０１５年前半、１ｋＷｈ25セントだった太陽光発電のコストは２０１８年前半には10セント以下まで低下した。太陽光・風力発電コストの劇的な低下により、アメリカの人々は安い電気料金を手に入れることが可能となった。また、シェールガス効果でガス利用の火力発電が増加したこともあり、CO2を最も排出する石炭火力による発電量は大きく減少した。

カリフォルニア、ニューヨークは、2030年までに電力の50パーセントを自然エネルギーでまかなうことを目標に掲げている。シアトル、サンフランシスコなど、自然エネルギー100パーセントを目指す都市も増加している。再生エネルギーは高いという思い込みを、アメリカは見事に否定してみせた。自然エネルギーのコスト面でのメリットが明らかになると、アップル、グーグル、マイクロソフトなどの大手企業も、自然エネルギーを積極的に採用するようになった。

脱原発に向けて何をやるべきか━第三者機関（第三者委員会）の設置

脱原発に向けてまずやるべきことは、福島第一原発事故の処理を国の責任で行うことだ。東京電力にまかせておくのではなく、国の責任として事故処理と被害者への賠償に向けた取組みを進めなければならない。

次にやるべきことは独立性の高い第三者機関の設置である。原発を維持するか、廃止するかは別として、日本には、稼働中の原子炉が9基、適合審査中の原子炉などが32基、廃炉予定が19基と計60基の原子炉が存在する（2019年1月現在）。

今後、国は放射性廃棄物の問題も含め、これらの原発を管理していかざるを得ない。そのための規制や運営のルール設定をどうしていくかについては、独立性のある第三者機関を設けて対応する以外に方法はない。現在、原子力規制委員会があることはあるが、独立・中立に機能を十分に果たしているとは言い難い。より独立性の高い第三者機関を設置し、国民の立場に立った監視をしていかないと、原発の安全性を確保し続けることは困難である。

ただし、第三者機関の設置は極めて厳格に行わなければならない。内閣府が設ける第三者機関の委員は役人によって人選され、内閣総理大臣や官房長官の人事となる。そのため、政府の政策に批判的な人物が選ばれにくい。しかし、そのような意図が国民に感じ取られることを避けるために、賛成派と反対派の両方を委員にしたり、敢えて立場を明確にしていない人物を選んだりする場合もある。原発のように政治やビジネスの利害が強く表出する課題では、人選は極めて難しくなる。要は、経済界にも政府にもおもねない人物を選ぶことだ。科学的見識に基づいたしっかりした判断力があり、政府に対して重みを持った発言ができ、さらに国民からの支持をバックに信念を持って行動できる人物で、第三者機関を構成しなければならない。

第三者機関が比較的成果をあげた例はいくつかある。

1981年に設置された第2次臨時行政調査会（土光臨調）では、土光敏夫（当時・経団連会長）氏が会長を務め、「増税なき財政再建」を掲げて改革を進めた。三公社（日本専売公社、日本国有鉄道、日本電信電話公社）の民営化なども行い、国民から高い支持を集めた。

2000年初頭、小泉内閣は、「総合規制改革会議*」議長の宮内義彦（当時・オリックス株式会社取締役兼代表執行役会長・グループCEO）氏の提案を受けて、会議をバックアップしながら思い切った規制改革を進めた。第三者機関のあるべき姿だったと言える。

安倍内閣になってからの第三者機関には、政権にすり寄る姿勢が歴然としているものもあり、あまり芳しい評価とはなっていない。考え方が一致しない委員を外す傾向もある。自分たちに都合の悪いことを敢えて言ってくれる人物を選ぶということをしなければ、政府は機能しない。本来第三者機関は、国民の安全、利益のために仕事をするというミッションを果たせる機関でなければならない。

総合規制改革会議
2001（平成13）年4月1日、内閣府に政令で設置された組織。2004（平成16）年度末をもって廃止された。

放射性廃棄物の処理をどうするか

福島第一原発事故における廃炉・汚染水対策は喫緊の課題だが、さらに重大な課題は放射性廃棄物、すなわち放射能のごみの処理である。

政府は、核燃料サイクル施設をつくってリサイクルするという核燃料サイクルの推進を基本方針としている。核燃料サイクルとは、使用済燃料から再利用可能なプルトニウムやウランを取り出して加工し、発電に再利用することだ。加工した燃料はMOX燃料と呼ばれる。現在、日本はこのMOX燃料をフランスから輸入して、数基の原発で使用している。輸入しているのは日本での再加工施設が稼働していないためだ。1993年から建設を開始した青森県六ヶ所村にある「六ヶ所再処理工場」は技術的な問題などにより、いまだに完成していない。国内には、現在1万8000トンにも及ぶ使用済燃料が蓄積しており、国内で貯蔵できる容量の75パーセントに達している。政府は、貯蔵能力の拡大と再処理工場の早期完成が必要だとしている。

貯蔵能力の拡大というと聞こえはいいが、一般の工場に例えて言うならば、工場の運転により発生するごみを、次世代の経営者に処理して欲しいと言っているようなものだ。このようなことは通常の工場ではあり得ない。そのあり得ないことが日本の原発では平気で行われている。また、再処理工場の早期完成も、そう簡単にはできそうもない。30年間近く稼働できないでいる再処理工場を、はたして早期に稼働させることができるのだろうか。

　そして最大の問題は、蓄積し続ける放射能のごみの最終処分だ。政府はいまだに最終処分の方法を決定できない状況にある。放射能のごみを長期的に埋める最終処分場をどうするか、早急に結論を出さなければならない。ごみの最終処分問題が解決できないのであれば、脱原発*の道を取らざるを得ない。一定期間で原子炉の運転を停止し、廃炉にするという方向に政策を転換すべきである。

提言

一、福島第一原発の事故処理は、国の責任で行う。

二、原発問題に関する、真に独立性の高い第三者委員会を設置する。

三、放射能のごみの最終処分問題について早急に結論を出す。解決できないならば、脱原発への道を明確にする。

脱原発を目指す国々

　イタリア、オーストリア、オーストラリアは、現在、原発を利用していない。ドイツ、ベルギー、スイス、台湾なども将来的には原発を廃止する方向で検討している。

　世界最大の原発大国アメリカでも自然エネルギーの割合が急速に増加している。

日本の宿題14

少子社会を克服する

経済を動かす力とは何だろうか？

エコノミストは金利や税率の変動に、農家は天候の変化に、企業は原油価格やエネルギー価格の変動に敏感に反応する。人々は経済を動かすあらゆる要素に常に敏感に反応する。しかし、より大きな枠組みで経済を動かしているのがほかならぬ人間数、つまり人口である。

人口に関しては、人口ボーナスと人口オーナス（ONUS＝重荷、負担の意味）という言葉が使われる。人口構成の変化が経済発展にプラスに作用する状態を人口ボーナスと呼び、逆にマイナスに作用する状態を人口オーナスと呼ぶ。

労働力人口が相対的に増加する人口ボーナス期は、豊富な労働力によって高い経済成長が可能になる。逆に、相対的に労働力人口が減少する人口オーナス期は、経済成長率は低下し、高齢者の増加により社会保障費などの財政負担が増大する。

言うまでもないことだが、人口が増えることにもプラスマイナスがあり、人口が減ることにもプラスマイナスがある。かつて、急激な人口増加が、公害問題や都市の過密問題などを引き起こしたことを考えれば、人口が増えることが必ずしもプラスに働かない場合もあった。ただ、総じて言えることは、人口増加は経済成長に好影響を与え、人口減少は経済成長に悪い影響を与える傾向が強い、ということである。

もちろん、人口減少がすべてマイナスに働くかというとそうでもない。

14世紀半ば、黒海沿岸からイタリア、ヨーロッパ全土にかけて黒死病（ペスト）が大流行した。黒死病により、イタリア総人口の約4分の1の人々が犠牲になったと言われる。この極端な人口減少の結果、何が起きたか。

中世ヨーロッパの主産業は農業である。当時の農民は、荘園に縛り付けられ、領主に対して重い地代を負担する農奴*であった。黒死病の流行により労働力不足に陥ると、領主は生き残った農奴たちの待遇改善を図るようになった。また、13世紀以降、貨幣経済の浸透により、荘園経営は、領主が農民に土地を貸して地代

農奴
ヨーロッパ封建社会において領主の支配及び隷属下にあった農民。
農奴性が公式に廃止された年月は、以下の通り。
デンマーク
1788年6月20日。
フランス
1789年3月11日。
スイス
1798年4月5日。
ロシア
1861年2月19日。

として農民から貨幣をもらうというシステムに徐々に変化し始めていた。農奴解放と呼ばれる。ペストの流行は、この農奴解放も加速させることになった。そして、何より重要だったのは、人々は低効率の農地を捨てて高効率の農地に移り、その結果、生産性が向上したことだ。これが結果的にルネサンスという人間性の解放を求める動きへもつながっていった。

激減する子ども数

一般的に考えれば、少しずつ人口が増えていくほうが、様々な面でプラスに働く。人口増加により購買力が向上すれば、マーケットは拡大し続けることができる。労働力増加によって、生産も拡大が可能になる。自治体にとっては、税収の増加により財政が安定し、住民サービスを向上させることが可能になる。また、年金問題など、人口増加により様々な課題の中での相対的な重みが減少していく問題もある。

しかし、日本の人口[*]は2009年から減少に転じている。2018年に生まれた子どもの数は約92万人で、合計特殊出生率（一人の女性が生涯に産む子どもの数）

30数年間で増加した人口は500万人

日本の人口は2008年の約1億2808万人をピークに減少に転じている。また、1985年が約1億2105万人、2019年（6月1日現在）が約1億2623万人で、30数年間で約500万人の人口増加となっている。

は1・42だった。1989（平成元）年の出生数は約125万人で、33万人の開きがある。合計特殊出生率も1975年に2・0を下回ってから低下傾向となり、2005年には1・26まで落ち込んだ。ここ数年は1・4近辺で推移している。

自分の人生において何人の子どもを持つかは、個人にとっては大変重要なことであり、自由に選択できる権利でもある。子どものいない生活を望む人もいれば、たくさんの子どもが欲しいと考える人もいるだろう。少子化対策として国が過剰な介入をすることは、個人の権利の侵害になる。大切なのは、子どもが欲しいと思っている人に対して、国が積極的に支援し、サポートしていくことである。仕事と子育てが両立できるような社会環境をつくる政策が重要になる。

少子化対策としての「養子縁組」

筆者は、少子化対策として特にフォーカスすべきは、「養子縁組」だと考える。様々な事情から、子どもを産めずに人工妊娠中絶をしている女性たちがいる。2017年度だけで、約16万5000件の中絶が報告されている。100万人弱の子どもしか生まれない中で、これだけの中絶件数がある。もちろん妊娠中絶は

図15：合計特殊出生率の国際比較

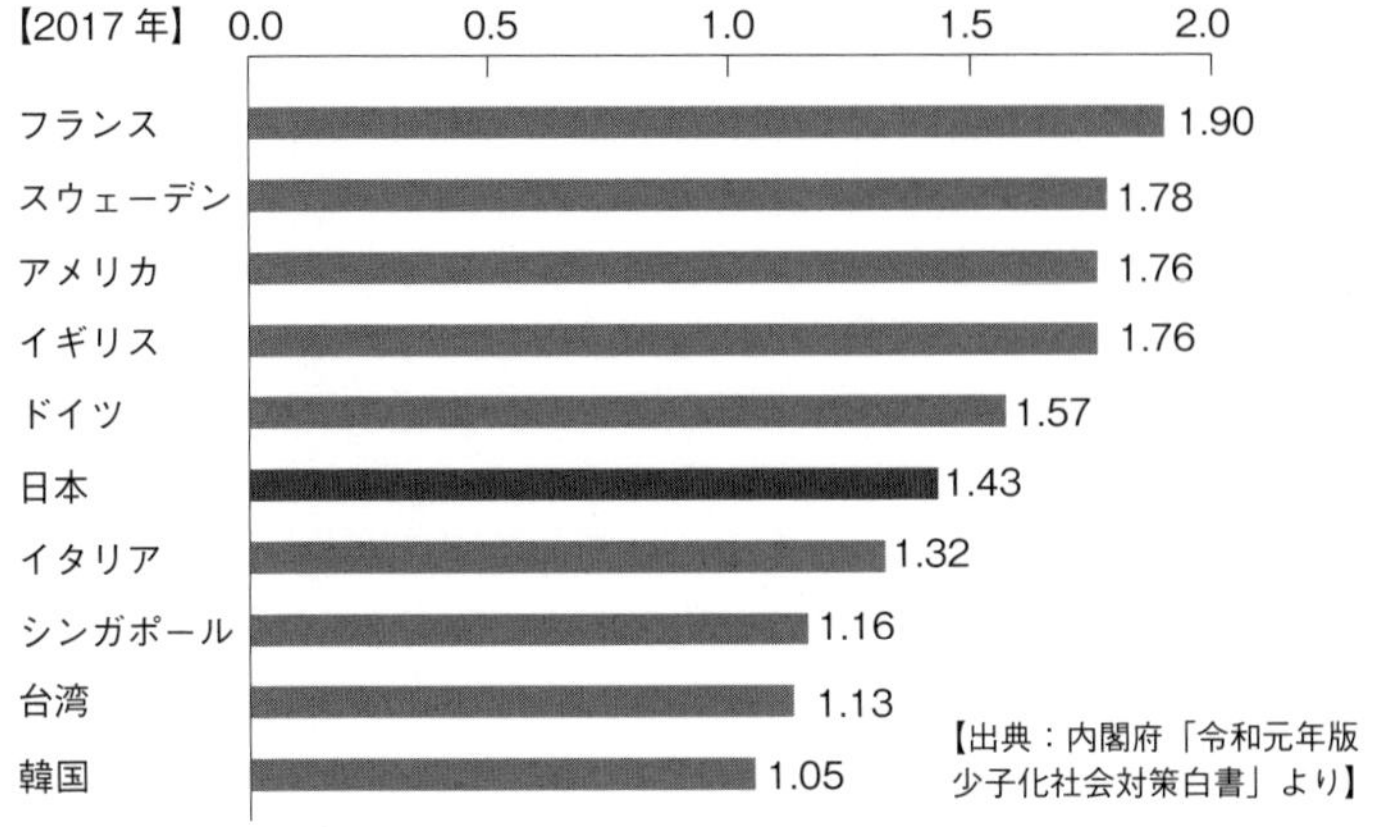

【出典：内閣府「令和元年版
少子化社会対策白書」より】

図16：日本の将来推計人口

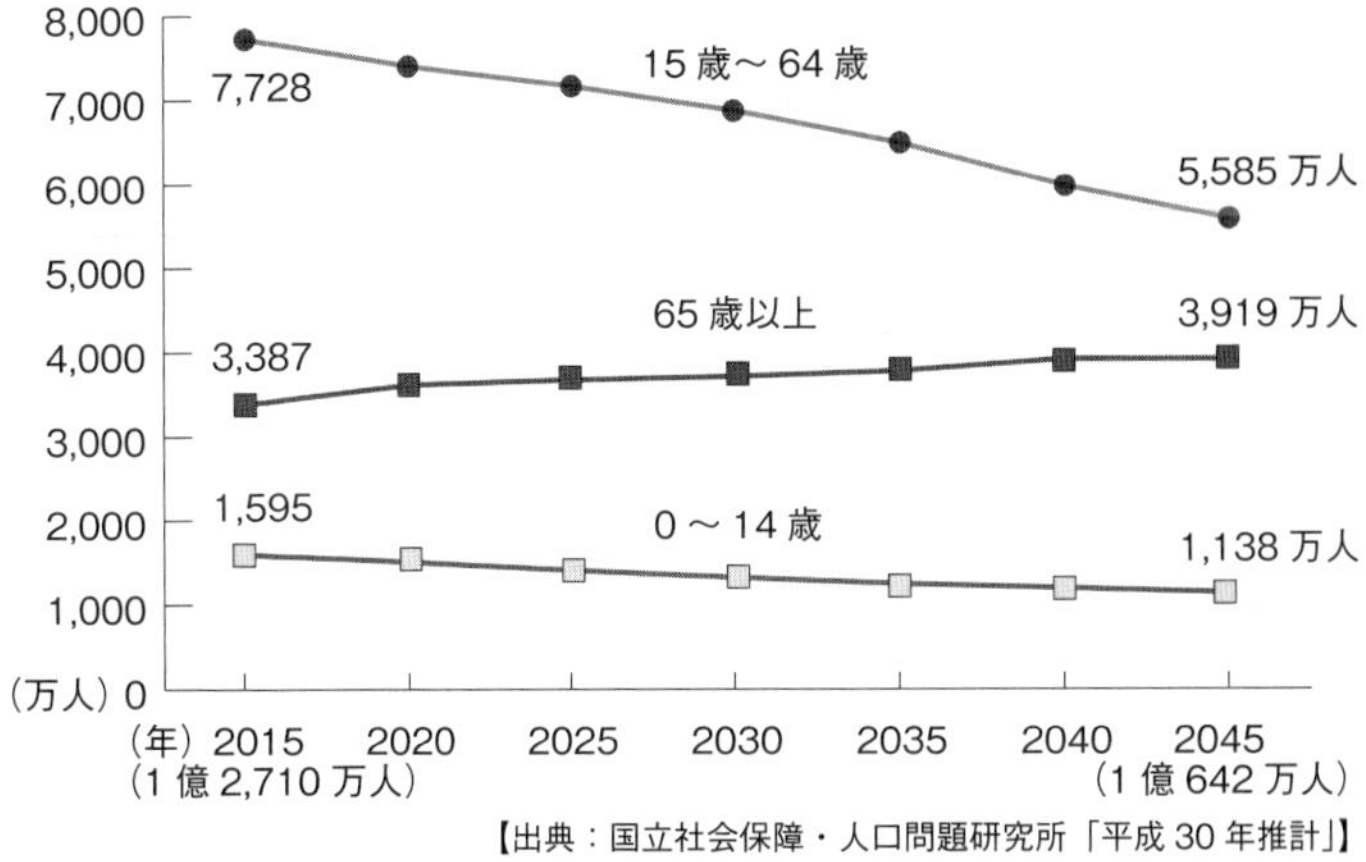

【出典：国立社会保障・人口問題研究所「平成30年推計」】

母体保護法に定められた適応条件があり、適応条件を満たしていない場合は違法となる。適応条件のうち、暴力行為の結果や病弱が原因の場合以外の、「妊娠の継続が……経済的理由により母体の健康を著しく害するおそれのあるもの」に対しては、何らかの対策が必要だと考えている。

いっぽう、子どもを持ちたくても持てない人たちもいる。これらの人々は不妊治療を受けているが、その数は推計で50万人ほどいると言われている。

これらの人々をつなぐものとして、養子縁組の活用が重要となる。経済的理由で出産できないと諦めている人には出産してもらい、子どもを欲しいと思っている人に養子縁組という形を通して育ててもらう。命を大切にし、結果的に出生率の逓減に歯止めをかける。少子社会の一つの解決策になると考える。

普通養子縁組と特別養子縁組

養子縁組は一人の人生を左右するもので、決定までには慎重で細心の対応が必要になる。古い言い方だが、お腹を痛めて産んだ子でさえ虐待するケースが生じている。ましてお腹を痛めていない子を引き取り、育てるのである。そこで、法律には、極めて厳しい成立要件が示されている。

養子縁組には普通養子縁組と特別養子縁組の二つがあり、それぞれ成立要件は異なる。

普通養子縁組は特別養子縁組と区別するための名称である。養子縁組の歴史は古く、貴族社会でも見られる。いわゆる婿養子も普通養子縁組である。普通養子縁組では、養親との間に法律上の親子関係が生じるが、実際の親との関係も戸籍上は残る。養子になった人は二組の親子関係を持つことになる。手続きは役所への届け出で済むが、15歳未満の人を養子にする場合は法定代理人が必要になる。その他、養親が20歳以上か結婚歴があること、養子が養親より年上でないことなど、細かな規定が設けられている。

これに対して、特別養子縁組は、１９８７年に新設された比較的新しい制度である。養子と実親との関係は解消され、養親は法律上も養子を実の子として養育する点で前者とは異なる。ただ、要件規定は厳しく、養子となる人物の状況が重要となる。その他、夫婦共同で養親にならなければならないこと、養子が6歳未満であることなど、こちらも細かな規定が設けられている。

最近、児童虐待の事件が数多く報道されている。これらの影響か、いま、幼い子どもを養子に出すことを禁じるルールが議論されている。実質、養子縁組を難しくする法改正をしようとしているのである。筆者はその逆で、養子縁組をしやすい法律に改正すべきだと考える。ただし、管轄機関は、養子縁組が成立した後も、その家族の生活を適宜ケアしていく義務を、法律に盛り込む必要がある。もし、問題があれば指導し、適切な環境に戻すことができるようにしておく必要がある。事前規制ではなく事後チェックを強化するのである。

養子縁組が結果的に少子化対策になり、関係者も幸せにする。人口減少の面で、日本は明らかに先端を走っている国である。それを逆手に取り、日本が独自の少子化対策の見本を世界に示す、絶好の機会だと思う。

なぜ、出生率は低下し続けるのか

出生率低下の背景には、女性の社会進出が進んだことや、女性の高学歴化により女性が重要なポストに就くようになったことなどがある。その結果、子どもを持つことに対するコスト負担が、相対的に大きくなっている社会となったからだと考えられる。

例えば、子どもには高学歴をつけさせたいと考えたとする。それには、かなりの費用がかかる。子どもの教育に投資することは、見方を変えれば、生涯にわたって築く財産の一部を事前に子どもに贈与することでもある。これは相続税のかからない知的資産の贈与である。

その場合、子どもを持って働いた場合と子どもなしで働いた場合の生涯賃金には大きな差が出てくる可能性がある。自分のキャリアを伸ばし、より高い賃金を得ようと考えている女性に子どもがいて、もし、彼女が一時期仕事を離れ、子育てに専念したとすればどうなるだろうか。オポチュニティー・コスト*（機会費用）を考えると、つまり働き続けたなら得たであろう利益を考えると、子育てはコスト面で非常に高コストとなるのである。

いま、その高いコストをどう負担するかが重要なポイントになってきている。コストは限界的に大きくなる。1人目より2人目、2人目より3人目のほうが大きくなる。現在、中学生以下の子どもには児童手当が支給されているが、第3子以降の補助金が優遇されている。コストが限界的に大きくなっていくことに配慮

オポチュニティー・コスト（機会費用） 経済学上の概念で、ある経済活動を選択した場合、選択しなかった別の経済活動をした場合に得られたであろう利益の最大金額を指す。

した考えに基づいている。

少子化対策に成功したフランスの政策は非常に興味深い。子どもを2人以上育てている家庭には手当てが支給されるが、1人の場合は支給されない。また、3人以上の子どもを育てている家庭は、大幅な所得税減税が受けられ、養育者の年金に対しても10パーセントの額が加算される。出産費用も無料にするなど、その他様々な少子化対策が行われている。

少子化対策に一種のゲーム性を持ち込むのも、一つの方法だと思う。家族5人で旅行すれば2人を無料にするなど、わかりやすい優遇措置を国が行う。行動経済学の視点から見ても、レストランが10人の団体ならば料金の1割を還元しますとPRするより、10人のうち1人が無料になりますとPRした方がPR効果は高い。

フランスの例をあげたが、その一部を日本が導入したとしても、政策コストが大幅に増えることはないだろう。少子化対策では、政府がメッセージ性のある政策を発信していくことが求められる。

提言

一、特別養子縁組をしやすくするための法律改正を行う。
二、子どもを持ち、育てるための限界費用を安くするために、フランスの例などを参考に、メッセージ性のあるわかりやすい政策を講じる。

日本の宿題15

東大を民営化し、教員資格制度を変える

教育がもたらした日本経済の発展

　ここに1冊の経済白書がある。当時、経済企画庁長官だった故堺屋太一さんが手掛けた平成12（2000）年度版経済白書である。平成13（2001）年度版からは経済財政白書と名称が変更されたため、ある意味最後の経済白書と言える。白書は第2章の序で、明治以来の日本経済の動向について年代を追って解説している。明治維新以降の日本は、なぜ世界が驚くような経済発展を成し遂げることができたのか？　その要因について最後の項目で簡潔に触れている。結論は単純明快で、三つの要因が紹介されている。

　①人材を重視し、教育に資源を投入し、人材が能力を発揮するような環境を整えたこと。

②外国の文物を柔軟に吸収し、日本の状況に合わせた改善を行ったこと。
③時々の経済情勢や発展段階に応じた経済体質をつくり上げたこと。
以上の三つである。
②と③は簡単に言えば、日本はしたたかに、そのときどきで制度をうまく変えてきたということである。日本型の雇用慣行や日本型企業経営は、経済成長に大いに貢献した。しかし、これらのスタイルは、「働き方をさらに変革する」のところでも触れたように、戦後に定着していったもので、戦前は主流ではなかった。戦後、企業が自らの社員に教育投資し、忠誠心を持って働けるように終身雇用・年功序列という制度を導入し、大いなる経済成長を実現させた。したたかに、発展段階に応じた経済体質をつくり上げたのである。
そして、①で述べられているように、経済成長をもたらした最大の要因は、一にも二にも人材にあった。石油、鉄鉱石、ボーキサイトなど、産業にとって重要な自然資源に乏しい日本が、最大限活用したのが「人材」という資源である。ここに日本の経済発展の特徴がある。

学問を重視してきた日本人

江戸時代、庶民の子どもたちに、読み・書きの初歩を教えた寺子屋は、江戸後期には地方の小都市や農山漁村にまで普及していた。全国で約2万の寺子屋が存在したと言われている。このことにより、当時、日本人の識字率は世界でも最高レベルにあった。皇族や武士など、学問と教養を積むことが必須だった支配階級の識字率が高いのは、どこの国でも当然のことである。しかし、庶民の識字率までが高い国は極めて稀と言える。寺子屋の普及により、明治以降、短期間で学校制度を確立することも可能となり、識字率の高さは明治以降の近代化を可能にした。

明治になると、政府は富国強兵をスローガンとするが、福沢諭吉は、富国強兵の基礎は何かと問うた。それは人間の力であり、教育であると。「学問のすゝめ」の中で、「一身独立して一国独立する」と、つまり一個人が独立して初めて一国独立できるということを説いている。「学問のすゝめ」は当時350万部ほど売れている。当時の人口は約3500万人。人口の約10分の1がこれを読んだことになる。現在の人口で置き直すと1200万部の大ベストセラーである。福沢諭吉の思想家としての偉大さが示されているが、同時に当時の日本人がいかに教育を重視していたかがわかる。

世界での評価が落ち続ける日本の大学

ところが、いま何が起きているか。最も重要な高等教育機関である日本の大学の世界ランキングが、落ち続けているのである。高等教育機関を様々な指標によってランク付けした国際的な大学評価がいくつかある。その中でも有名なイギリスの高等教育専門誌「ザ・タイムズ・ハイアー・エデュケーション」*が発表した2019年のランキングでは、東大は42位、京大は65位となっている。日本では、東大や京大を卒業していることが、「頭がいい」こととほぼ同義語になっている。しかし、その東大、京大でさえ、世界レベルで見ると上位に入ってこないのである。もちろんランキングに対する批判もある。しかし、一つの指標として受け止めざるを得ないだろう。

日本の大学の評価が落ち続けている要因はいくつかあるが、一つの要因は、日本は教育にお金をかけないということである。家計に占める教育費が高いと嘆い

*THE（The Times Higher Education）イギリスのタイムズが新聞の付録冊子として毎年秋に発行。

ている人々には不思議に思えるかもしれないが、国の予算に占める教育費の割合はＯＥＣＤの中では最下位である。

教育にはお金が必要である。例えば、筆者の一人（竹中）がハーバード大学で講座を持っていたとき、一クラスの定員を絶対30人以上にはしないという約束があった。30人以上になった場合は、同じ講義を２回して欲しいと言われた。ぎりぎり29人だったので講義増は免れたが、日本では一クラス２００人から３００人の授業が当たり前のようにある。大学構内で講義に出ていた学生に会っても、自分の講座の学生かどうかはまずわからない。

もう一つは、高等教育のガバナンスが極めて不徹底になっていることだ。日本の大学は、第２次世界大戦のときに軍部によって学問の自由が翻弄された苦い経験から、戦後は、大学の自治、オートノミー（autonomy）を第一としてきた。私たちの世代は、大学の自治が最も重要なことと教えられた。

自治という言葉は美しい言葉だが、この言葉からは、大学の運営に誰が責任を持っているのかがわからない。みんなで決めようと言っているだけなのである。企業で、次の社長を誰にするか、人事部長を誰にするかということを社員全員で決めていたら大変なことになる。企業では、マネジメントに責任を持って当たる人物を決め、その人物が責任を負う形で体制を決めていく。ところが、大学においてはマネジメントという概念が極めて薄い。法律を改正し、マネジメントという概念が入ったと言われているが、現実的には大学の自治が最優先となっている。通常の場合、大学の学長はほとんど権限を持てず、学部の教授会が運営に関する権限を持っている。全員で決めるから、教授たちは当然居心地がよい。大学の教育力を上げようということよりも、居心地がよいかどうかが教授たちの判断材料となってくる。このことが最大の問題と言える。

マネジメントを強化するためには、責任を明確にし、その責任を遂行する人物に権限を与え、リーダーシップを発揮してもらわなければならない。大学のガバナンスを強化するには、コーポレートガバナンスの考え方を大学にも適用し、大学の責任者がリーダーシップを持って運営できるようにしなければならない。

このような立場から、筆者らは東大の民営化を主張している。私たちが東大の民営化を言い出したのは郵政民営化の直後だったと思う。大変面白かったのは、郵政民営化には賛成した東大教授の多くが、東大民営化には反対したことだ。大学の自治の特徴をよく表している例である。彼らには誤解があったようで、私たちは東大を株式会社にしようと言っているのではない。東大に民間流の厳しいガバナンスを導入して、競争原理によるガバナンスが機能するようにしようと言っているのである。

国は競争的な研究資金を大学に補助せよ

2004年に独立法人化された国立大学には、収入不足を補うために国から運営費交付金という名の補助金が支給されている。問題は、この交付金が東大だからいくら、京大だからいくらと恣意的に配分・支給されている点である。アメリカでも大学に補助金が支給されるが、研究資金としての補助金である。優れた研究にはお金をつけましょうということで、あくまでも競争的な側面が強い。競争原理が働くことによって、優れた研究が生まれ、高いレベルの教育が行われるようになり、その結果大学の評価も高まっていく。

私たちの言うところの東大民営化の真の意味は、国から国立大学への補助金を競争的研究資金にするということである。そうすると何が起こるか。ひょっとしたら東大が従来以上に研究資金を集めることになるかもしれない。それはそれでよいと思う。大学にはいろいろな役割がある。人材育成を機能分化させるという立場から、大学を、グローバル人材を生み出すG型大学と、その他をL（ローカル）型大学とに位置づけて編成し直せ、という富山和彦氏（経営コンサルタント）のような考え方も出てくる。これだけ聞くと極端な意見のように思われるかもしれないが、グローバルな経済圏（G）とローカルな経済圏（L）の経済特性が異なる点から出ている発想だ。大企業、中小企業などの発想ではなく、グローバル企業とローカル企業という捉え方に思考を変えろということが、この考えの背景にある。すべての大学がグローバル企業を支える人材を育成しようとするのではなく、ローカル企業を支える人材を育成する大学を増やすことも重要だという趣旨だ。ローカル経済圏を支えるためには、地方でしっかりと実務教育をする機関が必要なのである。

アメリカには、コミュニティカレッジという優れたシステムがある。コミュニティカレッジは、もともとは地域住民のためにつくられた公立の2年制大学で、学費も安い。コミュニティカレッジは、地域の人々に高等教育と職業訓練を提供することを主な目的としているが、厳しい競争社会のアメリカで敗者復活のチャンスを与えている側面もある。アメリカの4年生大学の学費はかなり高い。そのため、コミュニティカレッジで2年間学んだ後に、4年制大学の3年生に編入する学生も多い。卒業が近づくと、イェール大学などの有名な大学がコミュニティカレッジ構内にブースを出し、優秀な学生を編入させる。トランスファー移籍と呼ばれる。経済的な理由や能力面から最初は名門大学に行けなくても、コミュニティカレッジで成果を上げ、名門大学に編入できるという敗者復活の道が用意されている。

日本でも、そういう位置付けのローカルな大学があってもいいと思う。国はそれらの大学に対して、相応の運営費を投入する。一方では、グローバルな大学には競争的な研究資金を補助する。

大学運営にコーポレートガバナンスを導入し、国は運営費交付金ではなく競争的な研究資金を補助する。このことが私たちの言う東大民営化の意味である。

大学の資産活用を進め、教員組織の在り方も改革する

関連して言えることは、日本の国立大学には資産活用の自由がないということである。もっと自由を与えるべきだ。例えば、東京大学は、本郷キャンパス、駒場キャンパスほか全国に研究センター、牧場など数多くの土地や資産を所有している。最近は少し緩和されたものの、国立大学に与えられた土地や資産は、教育と研究目的以外には活用できないことになってきた。しかし、そこにショッピングセンターなどをつくって、その利益を教育と研究に生かしてもいいのではないか。資産を積極的に活用し、大学の運営費、研究費などを確保することは、アメリカの大学などでは行われており、決して悪いことではない。

いっぽう、大学の教員組織の在り方にも課題がある。日本の場合、ほとんどの大学で、専任講師に就けばその教員は終身雇用となる。当たり前と思われるかもしれないが、アメリカでは事情が異なる。アメリカにはテニュア（終身在職権）制度があり、専任講師になったからといって、終身雇用が保障されるわけでは全くない。アメリカの大学では、大学院卒業後、研究員、助教授、専任講師などの肩書で雇用されるが、すべて任期付の契約である。一種の契約社員的な立場に置かれるのである。任期の間に実績を積み上げ、准教授への昇進の際（または在職中）

に審査を経て、はじめてテニュアの資格が与えられる。競争し、成果を上げた者だけが終身在職権を手に入れることができるのである。

最近、日本でも、終身在職の資格を与えるために一定の試用期間を設ける私立大学が現れるようになった。方向としては改革に向かっているが、まだ十分な実績は上がっていない。

数年前のダボス会議で、当時の下村博文・文部科学大臣を案内して、世界のいくつかの大学の学長と対談する機会を持った。その中の一人で、中国のビジネス系大学の学長が、学長以下、教授の全員が5年間の契約社員であることを明かした。いま大学ではデジタル技術に関する知識が豊富な人材を求めている。技術の革新は速く、古参のエンジニアリングの教授がいつまでも在籍していると、優秀な若手を採用できないのが理由であると述べていた。

また、アメリカの学会では、学会期間中に常に研究者の採用面接が行われており、流動的な労働市場が形成されている。その意味で、日本の大学のマーケットは、オープンマーケットにはなっていない。一部には、採用に当たってコネなどが横行し、マーケットはクローズされている。そこでは、明確な契約も競争も働かない。研究者就職の自由なマーケットが成立していないことが、日本の大学が世界ランキングの上位に行けない要因の一つとも言える。

促成栽培国家として出発した日本が教育にもたらした弊害

明治以降、日本は列強に対抗するために、急速に近代化を成し遂げなければならず、促成栽培国家への道を歩まざるを得なかった。急激な近代化を進めるために、日本は二つの方法をとった。上からの近代化と、面倒なことをできるだけ避け、低コストで行う方法である。

上からの近代化の象徴的な例が、官僚のキャリア制度である。試験通過者を、それも合格順位で優遇するという国家公務員試験制度を創設し、それに権威を与えた。日本国家の各省のキャリア職員は、国内で最も優秀な人々であることを内外にアピールする必要があったからだ。かつて、大蔵省にキャリアで入省した職員は、若くして地方の税務署長の職についた。税務署では、自分の父親の年齢ほどの課長が、若い署長の手足となってつくしてくれた。若くして地方税務署にトップクラスで出す理由は、王道学を学ばせるためであった。促成栽培国家の典型的な手法である。

促成栽培国家としての弊害は戦後も続く。面倒ではなく、安上がりな例として大学入試がある。受験生は、世界史や日本史などの細かな知識を暗記し、試験に臨む。初期の頃は手書きで回答していたが、後にマークシート方式が採用される。暗記した内容をテストするだけなので、回答方式はマークシート方式で十分である。点数を集計して合否の判定を下す。面倒な採点から解放され、費用も少なくてすむ。まさに促成栽培国家の典型的な事例である。いっぽう、大学側には、1日の入試で数億円（いわゆるマンモス大学の場合）という受験料が入る。日本の大学入試は、安いコストで多額の収入を得ることができる、非常に安易な制度といえる。

大学入試の評価方法が、高等教育、中等教育、初等教育に影響を与えた。勉強するということは、大量の知識を覚えることだという流れになっていった。しかし、AI時代と言われる今日、大量で細かな知識を獲得することに重要性はなくなってきている。大まかな知識さえ持っていれば、細かな知識はディスクのメモリーやネットなどで調べられる。

「解のない課題に対応する教育」と教員資格制度の改革

いま大切なことは、知識注入一辺倒の教育からの脱皮である。当然、知識を増やす教育は大切だが、もう一方で、解のない問題に対応できる能力を育成する教育が必要となっている。ＭＩＴ（マサチューセッツ工科大学）メディアラボは、ラーニング・オーバー・エデュケーション（Learning over Education）という言葉を使う。エデュケーションではなくてラーニングが大事であると。覚えることではなくて学びが、考えることが大事なのである。

世の中には解のない課題が無数にある。これまでの教育を、それらの課題にどう対応するかという「学び」の教育に変革させなければならない。また、学校の教育スタイルもＩＣＴ（Information and Communication Technology）を活用したスタイルへと大きく変化し始めている。デジタルテクノロジーを活用して、「学び」を教える時代へと教育は変革しようとしている。当然、変革を進めるためには、ラーニング・オーバー・エデュケーションを理解し、ＩＣＴ活用にも長じた教師の存在が必須となる。

ところが学校現場では、教員免許を持っていなければ子どもたちに教えることはできない。教員免許制度は一種の終身雇用に近い制度である。教師は、教職経験中に研修などを積むが、常に最先端の知識や学習理論を保持することはかなり難しい。かつて、慶応大学の村井純教室の院生に、近くの小学校でインターネットに関する特別授業をしてもらったことがあったという。授業もわかりやすく、子どもたちは目を輝かせて聞いていた。この授業を、免許を持っていても専門家ではない教師に期待することは無理である。

その後、定期的に最新の知識技能を身につける必要があるという目的で、第1次安倍内閣の2007年に教職員免許法が改正され、2009年4月1日から教員免許更新制が導入された。しかし、2009年9月に鳩山由紀夫民主党政権が誕生すると、日教組などに配慮し、政府はスタートしたばかりの制度を廃止する方針を打ち出した。その後、2010年7月の参議院選挙で民主党が大敗北を喫し、法改正が困難の状況となると、文科省は翌年度の継続を前提とする文書を全国の教育委員会に配布している。混乱はあったが教員免許更新制は現在も実施されている。しかしながら、現実問題として教員免許を更新できない教師は皆無に近く、機能しているとは言えない状況だ。

日本は、既に促成栽培国家の段階を過ぎている。成熟した市民社会を築かなければならない時代に、促成栽培国家時代の制度がいまだに残っている。教員免許一つをとっても、もっと柔軟な制度であるべきだ。

免許なしで誰でも教えられるというのでは国民は不安に思うだろうから、免許制度自体はあってもいい。教科指導から生徒指導までフルタイムで働く教員がいる一方で、生活面の指導はしない教科専任の教員、特にＩＣＴなどの一つの分野に特化した教員がいてもいいだろう。勤務時間も柔軟に扱う。各々が資格を持つ教員であり、臨時とか特別授業扱いの講師ではない。

リカレント教育の時代

日本では、教育と職業訓練は別のものとして扱われてきた。教育は、６歳以上の子どもたちから若者を対象に文科省が担当して行い、職業訓練はある程度の年齢から上の層を対象に厚労省が担当して行うことになっている。しかし本来、教育と職業訓練はシームレスである。

「働き方をさらに変革する」の項で述べたが、人生１００年時代の到来は、人々に多段階の生き方を要求してくる。約20年間勉強して、15年間働き、再び4年間勉強する。その後15年間働き、今度は2年間ほど勉強する。人生の途中での再教育が必要になってくるのである。いわゆるリカレント教育（recurrent education）である。リカレントは、反復つまり何度も繰り返されるという意味である。

リカレント教育に対応するためには、柔軟な教育機関が必要だ。しかし、現在の日本の大学に、リカレント教育に対応できるだけの力量があるだろうか。若者の数の減少は今後も続き、早い時期に全国の大学の何割かで定員割れが起こるだろう。そのような状況下、リカレント教育は大学の経営にとっても最大のチャンスなのである。取り入れれば、間違いなく大学にとっての成長分野となる。アメリカのコミュニティカレッジのように、実際に役立つ職業訓練講座を設け、学生を募集する。結果、入学金、授業料も入ってくる。

しかし、そのためには、大きな制度改革を実施しなければならない。特にマネジメントの概念を大学経営に入れ、必要な人材を採用する必要がある。

前半でも述べたが、大学の自治という言葉は大変聞こえがいい。しかし、審議事項に対して、実質的に全員が拒否権を持っているというのが従来の大学の自治なのである。一人でも反対者がいれば、何も決まらない。全員の意見を聞いて、最後は一人のリーダーが判断するマネジメントシステムとは、まったく別の世界である。例えば、国立大学で教授ポストの空席があるのは、この拒否権の存在が大きいと言われている。全員が納得する人材はなかなかいない。一人でも反対すれば、新たな教授は採用されないことになる。

提言

一、大学の運営を、「自治」ではなく「マネジメント」の概念に基づく形態に転換する。
二、東大を民営化する──国立大学への運営交付金を競争的研究資金とする。資産運用の自由を認める。
三、教員免許の制度を、全面的に見直す。

日本の宿題16

真のジャーナリズムを育成する

岐路に立たされるメディア産業

政策が的確に行われるために、その過程をしっかりと監視するメディアの役割は極めて大きい。しかし、日本だけに限ったことではないが、インターネットの普及により、新聞、テレビなどのメディアは大きな岐路に立たされている。

インターネットの普及によって、かつてはメディアの受け手でしかなかった市民が、世界に向けて自由に自分の意見を表明できる発信者へと変貌した。このことが、ネットメディアの台頭を促した。ネットメディアの台頭は、いままでにはなかった社会現象を世界じゅうで巻き起こしている。彼らの一部は、中立性を基本とする従来のメディアとは異なり、保守か革新かが非常にはっきりしており、過激な発信内容によって社会の分断を煽っているという面もある。このような状況の中で、いま健全なジャーナリズムをどう維持するかが世界中で大きな課題になっている。

進むメディア産業の大再編

20年以上前から、世界のメディア産業では、グローバルな提携や買収・合併などが行われてきた。とりわけ最近、アメリカで起こっているメディアの大再編は、驚異的なものである。

２０１８年には、アメリカ最大の電話電信会社のＡＴ＆Ｔが、大手メディア・エンターテインメント企業であるタイムワーナーを８５０億ドル（9兆４０００億円）で買収した。アメリカ司法省は番組の料金値上げにつながるとして買収の差し止めを求めたが、地裁での敗訴に続き、控訴審でも連邦高裁が地裁判決を容認したため、差し止めを断念している。また、ディズニーによる映画会社ＦＯＸの買収も、２０１９年3月に完了した。有力紙ワシントンポストは、２０１３年にアマゾン（Amazon.com）の創業者ジェフ・ベゾスによって買収されている。これらの動きをもし日本に例えれば、ＮＴＴがＮＨＫを買収するような出来事である。通信放送の業界では、このような大規模な再編が、世界的な規模で進行しているのだ。

新聞社を子会社化しても、紙の新聞発行が将来にわたって営利ビジネスとして成り立つかは難しい。紙をデジタル化し、ネットで配信する方法などが模索されているが、新聞という形態がデジタル社会で必要なのかという課題もある。

テレビに関しては新聞よりも深刻な状況が生まれている。ここ10年近くの間に、アメリカではコードカットという現象が起きている。コードカットとはCATV（ケーブルテレビ）の契約を打ち切ることをいう。広大な国土を持つアメリカでは、テレビの視聴はCATVが主流であった。しかし、ネットフリックス（Netflix）やフールー（HuLu）、アマゾンプライムなどインターネットを使った新たなサービスの台頭により、契約を打ち切る世帯が急増している。日本でもそうだが、CATVではパッケージ化した多チャンネルで契約することが多い。これに対して、例えばネットフリックスは、画質の違いなどによる料金体系があるだけで、搭載されている映画や動画はすべて自由に視聴できる。料金もCATVに比べ低く抑えられており、エンターテインメントを視聴するにはうってつけのサイトといえる。また、テレビの場合は放送時間が決められているため、その時間に見られない場合はＤＶＤレコーダーに記録しておく必要がある。しかし、ネットフリックスではそのような手間も必要ない。また、ネットフリックスには、視聴者の視聴動向を参考にした推奨機能が仕組まれている。この番組を見た人は、次にこの番組を見たがるだろうと新たなコンテンツを推奨してくるため、視聴者は次第にネットフリックスにのめり込んでいくようになる。エンターテインメント以外のスポーツやニュースを見たい場合は、他のネットストリーミングサービス会社のサービスを契約すればよく、それらを入れてもＣＡＴＶの料金よりも安くなる。国内系の動画配信サービス会社としては、ＮＴＴドコモが提供するｄＴＶやＵ－ＮＥＸＴがある。

ネット動画配信サービスの台頭により、エンターテインメントの世界に関してだけ言えば、今後、テレビは不要になってくるかもしれない。数年前、『火花』（又吉直樹著・芥川賞受賞作）を原作にした映画の放映権を、地上波テレビ局との激しい争奪戦の結果、最初に獲得したのはネットフリックスだった。世界的な企業に成長したネットフリックスは、巨額の資本を投下してコンテンツづくりを進めている。

いまテレビ界は、エンターテインメントの世界を動画配信サービス会社に奪われかねない状況に陥っている。しかし、テレビにはジャーナリズムの機能もある。日本で言えば、全国津々浦々にネットワークを構成し、各地の政治・経済・社会情勢を取材し、放送してきた。その一方で、次第にエンターテインメント部分が肥大化してきた経緯がある。そのエンターテインメント部分が弱体化してきたとき、テレビとともにジャーナリズム機能が消え去るならば、政治・社会情勢の報道の質・量が低下し、民主主義の前提の崩壊につながる危険性がある。報道の中立性と独立性を保てる新たなビジネスモデルへの転換が必要になっている。

国税による公共テレビメディアの維持は可能か?

テレビメディアを維持していくうえで、NHKのような受信料方式が一つの選択肢としてはある。しかし、支払いを拒否する団体などもあり、現時点でかなり無理のあるシステムとなっていることも否定できない。一律に受信料を税として徴収し、国が放送の運営に関わるが、放送局の中立性と独立性を国が保障するというならば一つの解決策になるかもしれない。現在のＮＨＫの場合は、国税で運営すると独立性に疑いが出るため、受信契約を結んだ世帯だけが視聴可能としている。しかし、一方でＮＨＫを実際に視ようが視まいが、受信設備があれば契約しなければならないという、かなりいびつな仕組みに敢えてしている。その根っこには、日本の場合は特に、税金で運営すると独立性を保つことは難しいという危惧がある。よくある例としては、自治体の資本が入っている地方局では、その自治体の政策を強く批判するとトラブルになることがある。イギリスのＢＢＣは国営だが、しっかりと独立性を保持している。政府の政策に問題があれば堂々と批判する、国際的にも信頼性の高いジャーナリズムとして評価されている。公共メディアの見直しも課題である。

日本のメディア再編は？

アメリカなどではメディアの大再編が起きているが、日本ではどのような状況になっているのだろうか。

日本の新聞社には日刊新聞法*という法律が適用され、株式の譲渡は制限されて

日刊新聞法
日刊新聞紙の発行を目的とする株式会社の株式の譲渡の制限等に関する法律。

いる。同法により、新聞社の事業に関係のない者に株式を譲渡することは禁止されているのだ。テレビ界については放送法が適用される。株式の保有基準割合はホールディングスの株式の3分の1未満という規制（放送法第164条）があり、会社の乗っ取りができないようになっている。

テレビ局買収では、十数年前、ライブドアのホリエモンこと堀江貴文氏が、ニッポン放送の株式を30パーセント強保有して、ニッポン放送の子会社というねじれ関係にあったフジテレビを支配下に置こうとしたことを記憶している方も多いだろう。この買収劇は和解により鎮静化したが、こうした新たな規制も設けられ、日本のテレビ界は世界で起きているメディア再編の波から隔離されてきたのも事実である*。

しかし、新聞・テレビのビジネスモデルが限界にきている今、ネットメディアも含め、日本のメディア界も再編へ動いていかざるを得ない。そのため、既存の体制維持を目的とした資本規制は早急に撤廃すべきである。

再編がどのように動こうと、独立性を持って取材し、記事を書き、政府を監視し続けるジャーナリズムの役割は変わらない。権力者が権力を振るうことに対す

メディア産業の再編
平成9（1997）年版通信白書では、世界的なメディア産業の再編について言及している。

る抑止力としてジャーナリズムがあり、優れたジャーナリストは必要だ。さらに大衆におもねる記事を書かないことも、ジャーナリストに求められる重要な資質といえる。戦前のジャーナリズムが犯した過ちは、大衆におもねる報道をしたことである。本来なら戦争への道を止めるべきところを、政府以上に大衆受けする内容を報道し続けた。本来のジャーナリズムは、権力と大衆の両方に対峙する形で存在するものである。

記者クラブを廃止せよ

ところが、日本の政策面を取材する記者に関して言えば、ジャーナリストとしての資質に疑問を感じるときがある。彼らの一部は官庁の記者クラブに一日中詰め、そこで情報を得て、それを記事にしているに過ぎない。政府の政策をしっかりと監視する姿勢を貫かなければ、ジャーナリズムが機能不全に陥りかねない。そういう意味でも、記者クラブそのものを廃止すべきだと考える。

記者クラブは、大手新聞社やテレビ局の記者によって構成され、省庁や国会などに置かれた自主的な組織である。各役所に記者クラブの部屋があり、記者たちは会社ではなくそこに出勤する。情報は役人から提供されるが、中には自分だけその情報をもらえない記者もいる。記者にとっては絶対に避けなければならないことだが、批判的な記事を書く記者がそのような処遇にあうことがある。厳しい質問を政府に浴びせ続けたため、記者クラブを追放になった記者もいる。ジャーナリストであるにもかかわらず、記者クラブでは役人の心象を害さないように努めなければならないという不可思議な現実がある。

決定的な問題は、限られた範囲内でしか情報は入らず、省庁などから提供された情報の広報活動をしているだけになっているケースが散見されることだ。大手新聞社の政府の政策に関する記事を比較してみればわかると思う。どの新聞も似たり寄ったりの記事になっているケースが多い。また、記者クラブはフリーランスのジャーナリストは加入させないなど、極めて閉鎖的・排他的な性格も持っている。

閉鎖的に情報が提供される記者クラブを廃止し、官公庁はオープン・公平にデータを提供すべきである。記者はそのデータと独自の取材で、客観性の高い報道に徹する。政府の政策を監視し、正しい方向に導いていくためには、そのようなジャーナリストを増やしていく必要がある。今後、どのような形でメディアが再編されようが、健全なジャーナリズムを育成し、その役割を維持し続けていくことが日本人にとっての大きな宿題と言える。健全なジャーナリズムの欠如は、役所べったりの記事を生む一方で、事実軽視の政権批判報道にもつながることがある。この問題は次章で触れる。

因みに日本の大学には、ジャーナリストを育てるための専門スクールがほとんど存在しない。アメリカの主要大学との大きな違いである。記者クラブを廃止し、一方で質の高いスクール・オブ・ジャーナリズムを創設する必要がある。

提言

一、世界のメディア産業に大変革が起こっている現実を踏まえ、前時代的な日刊新聞法、放送法を大幅に見直す。

二、記者クラブを廃止し、切磋琢磨を通じて質の高いジャーナリストを育成する。

日本の宿題17

政治・メディアの悪循環を糺《ただ》す

政治・メディアと国民

前章では、健全なジャーナリズムの育成の必要性について述べた。しかしいま、残念ながらジャーナリズムの健全性が損なわれ、さらにそれを政治利用するという悪循環が生まれ、拡大している。そこで本書の最終章で、筆者らを巻き込んだ最近の事例を紹介しながら、政治・ジャーナリズムの悪循環がいかに政策を歪めているか、またそれを改善する方策はあるのか、議論したい。

言うまでもないが、民主主義というのは「正しい情報を与えられた国民」（well informed public）の存在を前提としている。国民が政策に関する情報を正確に得て、自らの意見を反映させてこそ、健全な民主主義が機能する。また、当然のこととして政治は、国民の生命・財産を守り経済的厚生を高めることが本来の務めだ。

つまり政治もメディアも、それぞれ国民のために存在している。この政治・メディア関係がおかしくなっているのだ。

例えば政府にとっては、遂行する政策につき国民の支持を得ることが重要だ。その為に、自らの政策をプレイアップすべく、メディアを上手に利用しようとすることはよくある。

しかし、メディアもこれを安易に受け入れてしまえば、不健全な関係につながる。よく知られている記者クラブの制度は、政府にとってそれなりに都合がよい制度だ。かつて大蔵省の官僚として働き、後に第1次安倍内閣の参事官となった高橋洋一氏（嘉悦大学教授）は、その著書（『日経新聞と財務省はアホだらけ』田村秀男氏と共著・産経新聞出版）で次のように述べている。

私の現役時代の昔ですが、役所では私たちは、上司にこう言われるんですよ。「高橋、○時だから豆をまいてこい」……つまり豆とは新聞に提供するネタ。「ハトの豆まき係」というのは広報担当のことで、エサをあげるということです。……記者の原稿を代わりに書いたこともありますよ。

政府とりわけ官僚が、いかに便利にメディアを使おうとしているか、端的に示されている。

現実に最近の新聞記事などを見ても、政府の重要な政策委員会（例えば経済財政諮問会議や未来投資会議など）でどのような資料が出され、何が決められるかは、その当日や前日に掲載されることが多い。言うまでもなくこれは、政府が情報をメディアにリークしているのだ。リークを受けた新聞は、そのときの「借り」も考慮して、政府に対する批判を控える論調になる。

言うまでもなく、メディアには、本来の重要な役割がある。それは政府を監視する機能であり、まさに民主主義の基礎となる「正しい情報を与えられた国民」（well informed public）の存在を可能にすることだ。政府は、巨大な権限を持っている。従ってそれが国民のために適切に機能しているかどうか、常に厳しくチェックすることが求められる。国民からは見えにくい情報を開示させて、隠されたことをスクープしなければならない。

しかし最近は、政治とメディアの関係が、従来以上に大きく歪んでいるように見える。政治は（政権与党も野党も）、矩《のり》をこえてメディアを利用しようとしていないか。そしてメディアは、ときに政権に過剰な忖度をしていないか。ときに政権攻撃のためだけに批判を行い、読者の関心を煽ることだけを目的に、歪んだ印象操作を行っていないか。そうした事象が目立ってきている。政権への追従と攻撃は一見真逆の事象に見えるかもしれないが、どちらも真のジャーナリズムの欠如の表れだ。

モリ・カケは全く別の問題

政権攻撃のわかり易い例として、2017年以降話題になった森友問題と加計問題を挙げることができる。この二つの問題を、一部野党とメディアは大きく取り上げ、いわゆるモリカケ問題として批判したが、二つの問題は全く異なる性格の問題だ。森友問題に対して、メディア・野党の追及は甘かった一方で、加計問題というのはほとんどねつ造といってよい程の、単に政府批判するためだけの、歪んだ印象操作だった。メディアは、単に政権批判の為だけにこれを問題化した。

またこの間明らかになった一つのパターンがある。まずメディアが「疑惑」として紙面で取り上げる、それを国会で野党が取り上げ質問し、さらにメディアが国会で取り上げられたとして疑惑を強調する……。またこの間、テレビのワイドショーが十分な検証もなく面白おかしく政府批判をし、「疑惑が益々深まりました」と述べて番組を締めくくる……。こうしたことが続くと、国民の思考に「疑惑」が刷り込まれ、まさしく印象操作が進行していく。安倍総理は一度国会で、印象操作という表現を用いたところ野党が激しく批判し、総理もその表現を使わなくなった。しかし、いまメディアと野党の共同作業のような形で、間違いなくこのような印象操作が進行している。

細かな議論はもうされ尽くしているので割愛するが、森友問題は明らかに役所（財務省）が書類改ざんを行っており、これは政府の側に大きな責任がある。しかし野党やメディアの追及は、政権中枢への批判に集中し、総理や総理夫人の関与問題に重点を置いた。結果的に役所の責任は、十分に問われずに終わった感がある。

これに対し加計問題は、国家戦略特区を使って実に53年ぶりに獣医学部を開設したという、画期的な改革の話だ。その主体がたまたま総理の知人であったというだけの話で、総理がその権限でゴリ押ししたような話ではない。そんな事実も証拠も全く存在しないのだ。むしろ政府の監視を役目とするメディアの本来の仕事は、獣医学部卒業者が不足する中で、なぜ半世紀もの間獣医学部の新設が認められなかったのか、その背後でどんな既得権益者が政府関係者と結びついて利得をむさぼってきたのか、という点を暴くことだ。しかし結果的に、一部野党とメディアの行為は、こうした既得権益者を擁護し、国民の利益を増進する政策を妨害するようなものだった。

毎日新聞のフェイクニュース

さてこうした状況下で、今の一部メディアと野党の本質を露呈するような事案が発生した。筆者の一人（原英史）がこの問題の直接的な関係者となっている。問題のきっかけとなったのは、毎日新聞が２０１９年６月11日朝刊の第一面トップで、

「特区提案者から指導料」、「２００万円、会食も」

という見出しの記事を報じたことだ。具体的に、特区ＷＧ座長代理を務める原が、その立場を悪用し、特区提案企業から金銭を受け取り、会食もしていた、と

報じている。こうした事実は一切ない。筆者は、この報道内容は事実と異なると全面的に否定し、名誉毀損で毎日新聞を訴えている。呆れたことに、その訴訟の口頭弁論で毎日新聞側は、

「原氏が金銭を受け取ったとは報じていない」

「一般読者の普通の注意と読み方によれば、そんな理解はあり得ない」

と、自らが記事でつくり上げた疑惑の根幹部分を事実上否定したのである。

なぜ、こんなフェイクニュースが報じられたのかは、よくわからない。確証はないが、おそらく規制改革に反対の立場の役所や既得権勢力が、改革妨害のためにガセ情報を流したのではないかと推測している。この誤報は、筆者個人への攻撃だけでなく、国家戦略特区という政権の看板施策への攻撃でもある。

ここで野党が登場する。10月15日の参議院予算委員会で、国民民主党の森ゆうこ議員がこのメディア報道を取り上げたのだ。問題なのは、毎日新聞の記事をそのままパネルにして提示し、原が不正行為を行ったかのような発言を繰り返した上で、「(原が)国家公務員だったら斡旋利得、収賄で刑罰を受ける」とまで発言したことだ。つまり、NHKの全国中継も入った国会審議の場で、原が座長代理

の権限を濫用して財産上の利得を得たと、事実無根の誹謗中傷を行ったのだ。

しかし、そもそも原は当該記事の内容を全面的に否定しており、かつ裁判では当の毎日新聞も、そのような事実（金銭授受など）がなかったと弁明している。それらの事実関係は、調べれば簡単にわかることだ。にもかかわらず、事実の確認を前もってすることもなく、事実誤認だらけの報道のみをベースに、全国中継されている国会審議の場で一民間人に対して誹謗中傷、名誉毀損、人権侵害を行ったことになる。

日本は法治国家だ。通常、人の誹謗中傷や名誉毀損を行った場合、訴訟を提起することで事実の確定と名誉の回復が可能だ。実際に原自身は、本件の疑惑に関して、ブログ上で事実無根の誹謗中傷を行った国民民主党の篠原孝議員に対しても、名誉毀損の訴訟を起こしている。

しかし、国会の場では事情が異なる。憲法第51条の規定によって、国会議員にはいわゆる「免責特権」が与えられている。国会での議論でどのような主張をしても、免責される（国会外では責任を問われない）ことが規定されているのだ。つまり今回のように国会の議論において、一般人に対し国会議員がひどい誹謗中傷を行っても、人権を侵害したとしても、その責任を問われることはないのだ。

国会議員は何でもありか？

こうした中で、事態は益々エスカレートしている。ただ政権側を批判するという目的だけのために（少なくとも筆者らにはそうとしか見えない）、野党とメディアが共闘して次のような議論を展開したのである。それは、「情報漏洩」というデッチアゲだ。

森議員が原を誹謗中傷する国会質問を行ったのは10月15日なのだが、その質問通告（その時間が遅く、多くの官僚が迷惑したという事実はこの際取り上げないことにする）の内容が事前に民間に漏れていた、と大騒ぎしたのだ。森議員が国会質問した翌日の10月16日に国民民主党が緊急会見を行い、森議員や原口一博議員が、質問内容を事前にネットで批判するのは「質問を封じ込める」行為であり、「国会議員の発言の自由、憲法そのものに対する挑戦」とまで断じた。しかし事実関係は明瞭で、質問の中に原や若干の関係者のことが含まれていたので、内閣府はその連絡・確認を行った、ということに過ぎない。事実関係の確認なくして、正確な国会答弁ができる訳はない。さらには、質問が外部に知れたことそのものを情報漏洩ということ自体、全く不可解だ。よい質問をし、国民の注目を集めるため、議員の一部は、むしろ自ら質問内容を積極的に事前公開しているくらいだ。

その後も森議員は、国会の配布資料で原の住所を出したり、免責特権に守られて、もはややりたい放題の感がある。かつ、この間一部メディアは、質問内容漏洩問題で野党が騒いでいることを大きく報道したのに、この問題がその後どうなったのかについては一切報じず、結果的に国民は騒いだ野党の側に問題があったことを知ることもできなかった。

免責特権をチェックする仕組み

毎日新聞の誤ったニュースから始まった今回の問題一つとっても、メディアと政治の関係は決して国民の厚生を高める為に機能しているとは言えない。政治、メディアともに、自らの役割と倫理を再認識することが必要だろう。つまり、まず自らが持つ大きな力を自覚して、自制することだ。国会議員は、国権の最高機関の一員として、与えられた免責特権を悪用するようなことがあってはならない。

そしてメディアは、報道の自由を振りかざして、自らの思惑優先で事実を軽視した報道を行ってはならない。権力からも大衆からも独立した姿勢を貫かねばならない。いずれも、大きな力を持っているからこその「自制」が必要になる。

その一方で、同時に社会的枠組みやルールも整備していかねばならない。日本の宿題として、まず健全なジャーナリストを養成するための教育機関が必要となろう。先にも述べたように、一般的に日本の大学には、スクール・オブ・ジャーナリズムが存在していない。アメリカの代表的な大学には、こうした教育・研究を担う学部が数多く存在している。従来日本のジャーナリストは、まず○○新聞社などの「社員」として入社し、役所の記者クラブで鍛えられる、と言われてきた。このため、政府のPRに利用されることも多かったのだ（田勢康弘『政治ジャーナリズムの罪と罰』新潮社）。スピリッツ・オブ・ジャーナリズムを徹底して教える大学が、日本には存在しないのだ。SNSの普及で、今や一億総ジャーナリストと言われる程、情報発信の機会は高まり、増加した。そうした意味でも、スクール・オブ・ジャーナリズムの役割は重要だ。

また国会議員の免責特権に関しては、その存在そのものは否定できないだろう。

しかしそれが、果たして健全に使われているのか、また過剰に振りかざされていないか、などのチェックが必要だ。因みに今回、明確な人権侵害を行った森ゆうこ議員に対して懲罰を求める請願が、6万人を超えるネット署名に支えられて提出された。しかし、維新を除く野党、そして与党の自民・公明までもが、これを無視する姿勢をとった。現状では、そのようなチェック機能をいまの国会は全く持っていないことが露呈されている。

深刻な問題は、免責特権を隠れ蓑に、政治的意図にもとづく個人攻撃や政権攻撃が国会で延々と繰り返され、一方で、本来議論されるべき政策課題は置き去りにされていることだ。こんな国会の惨状を見て、国民の政治離れはますます加速するだろう。

日本の宿題として、速やかな対応が必要だ。健全な政治とメディアがなければ、本書で述べてきたような宿題を解決することはとてもできない。

提言

一、主要大学に、スクール・オブ・ジャーナリズムを設置し、権力からも大衆からも独立した志高いジャーナリストを養成する。

二、国会議員の免責特権が乱用されるのを防ぐため、国会に特権をチェックする自主機関を設置する。

あとがき

激動の昭和、激変の平成の後、我々は激震の令和時代を迎えている。平成時代は一般に、失われた30年と言われるが、現実は極めてまだらな30年だった。一部産業の競争力が大きく失われたのも事実だが、一方でデジタル・ライフや都市開発分野では大きく改善した面もあった。また政策が停滞し落ち込みが激しかった期間もあったが、小泉時代や安倍時代の初期など、株価などの経済指標が一気に改善した期間もあった。まさに、まだら模様の30年だったのだ。

しかしこの間世界の経済は大きく変化し、2010年代以降は第4次産業革命と呼ばれるような激しい環境激変が起こっている。その中で、日本が今後どうしても取り組まねばならない改革の緊急度は、むしろ増しているように思われる。本書ではそうした課題のうち経済問題に焦点を当てて取り上げ、解決すべき方向性を示した。

現実の政策は、極めて複雑な政治状況の中で実現される。ここに示した日本の宿題の実現には、強力な政治のリーダーシップが必要なことは言うまでもない。

同時に、それを可能にする環境を整えるために、何より我々国民の理解が求められている。

本書が、そうした理解の一助となることを願っている。

竹中平蔵・原英史

竹中平蔵（たけなか　へいぞう）
1951年、和歌山県和歌山市生まれ。一橋大学経済学部卒。博士（経済学）。大蔵省財政金融研究室主任研究官、大阪大学経済学部助教授、ハーバード大学客員准教授、慶応義塾大学総合政策学部教授などを経て、2001年より小泉内閣で経済財政政策担当大臣、郵政民営化担当大臣などを歴任。現在、東洋大学グローバルイ・イノベーション学研究センター長・教授、慶応大学名誉教授、アカデミーヒルズ理事長、（株）パソナグループ取締役会長、（株）オリックス社外取締役、ＳＢＩホールディングス（株）社外取締役、ダボス会議理事など。著書多数。

原　英史（はら　えいじ）
1966年、東京都生まれ。東京大学法学部卒。シカゴ大学大学院修了。通商産業省、経済産業省を経て、2009年「株式会社政策工房」設立。政府の規制改革推進会議委員などを務め、現在、国家戦略特区ワーキンググループ座長代理、大阪府・大阪市特別顧問。著書に『岩盤規制』（新潮新書）、『日本人を縛りつける役人の掟』（小学館）など。

装丁・長谷川　理
編集協力・堀岡　治男
編集・内田宏壽（東京書籍）

日本の宿題
—令和時代に解決すべき17のテーマ

令和二年四月三〇日　第一刷発行

著者　竹中《たけなか》平蔵《へいぞう》・原《はら》　英史《えいじ》
発行者　千石雅仁
発行所　東京書籍株式会社
〒一一四－八五二四　東京都北区堀船二－一七－一
電話　〇三（五三九〇）七五三一（営業）
〇三（五三九〇）七五三四（編集）
印刷・製本　図書印刷株式会社

定価はカバーに表示してあります。
乱丁・落丁の場合はお取り替えいたします。

https://www.tokyo-shoseki.co.jp
ISBN 978-4-487-81374-2 C0095